TEOLOGIA CRISTÃ E PLURALISMO RELIGIOSO

JOHN HICK

TEOLOGIA CRISTÃ

E PLURALISMO RELIGIOSO

tradução

Luís Henrique Dreher

São Paulo - 2005

ATTAR EDITORIAL

Programa de Pós-Graduação
em Ciência da Religião - UFJF

Título original:
A Christian Theology of Religions : the rainbow of faiths

Editor:
Sergio Rizek

Tradução:
Luís Henrique Dreher

Apresentação:
Faustino Teixeira

Projeto gráfico e capa:
Silvana Panzoldo

2005

ATTAR EDITORIAL
rua Madre Mazarello 336
05454-040 - São Paulo - SP
fone / fax: (11) 3021 2199
attar@attar.com.br

dedicado a Hazel

Sumário

APRESENTAÇÃO 9

Prefácio 23

Introdução 25
Sobre a controvérsia teológica 25

A Hipótese Pluralista 33
Iniciando no nível mais básico 34
Salvação 39
Reivindicações de verdade 47
A resposta pluralista 52

Críticas pós-modernistas e pretensões conflitantes de verdade 57
Pluralismo como imperialismo intelectual do Ocidente 57
O pluralismo religioso pré-moderno 60
A crítica pós-modernista 64
Pluralismo como homogeneização 67
Deixar as religiões como estão? 69
O pluralismo contradiz a compreensão que cada religião tem de si mesma 73
A pretensão pluralista de dispor de um ponto de vista privilegiado 77
Reivindicação exclusivista sobre a verdade e mitos 80
Crenças metafísicas em conflito 81
Reivindicações históricas de verdade em conflito 84

O Real, a inefabilidade e os critérios 87
A inefabilidade do Real 87
O Real como vácuo e redundante 96
Então por que postular o Real? 98
Mas por que somente um Real? 100
Realismo e escatologia 103
Critérios 108
Salvação/libertação social 112

Encarnação e Unicidade 115
Resumo 115
"Fora da Igreja não há salvação" 116
A pretensão de superioridade única do cristianismo 120
Encarnação 125
Jesus, um homem pleno do Espírito 126
"Filho de Deus" 128
Um Deus que não sabe que é Deus 130
Duas naturezas, uma divina e outra humana? 133
A deificação de Jesus foi utilizada para justificar males históricos 135
A metáfora/mito do Deus encarnado 138

Salvação, Missão e Diálogo 141
O Real como o Deus Cristão disfarçado 141
Diferentes salvações 143
Outras grandes, menores e novas religiões 146
Duas compreensões de salvação e de Cristianismo 150
Missão cristã 155
Diálogo 159

Um cristianismo que se vê uma religião verdadeira entre outras 165
O caráter mutável do cristianismo 165
Uma perspectiva a partir do ano 2056 176
Espiritualidade numa era pluralista 181

Agradecimentos e explicações 191

Das controvérsias e circunstâncias acadêmicas 195

Bibliografia 201

Índice Remissivo 211

APRESENTAÇÃO

Faustino Teixeira - PPCIR-UFJF

O filósofo e teólogo inglês John Hick é um dos grandes pioneiros da atual reflexão sobre a teologia e o pluralismo religioso. Autor com significativa produção na área da filosofia da religião, também tem atuado no âmbito da reflexão teológica, sendo um dos principais responsáveis pela hipótese da teologia pluralista das religiões. Com renome internacional, Hick lecionou em diversas universidades, tanto nos Estados Unidos (Cornell, Princeton e Claremont), como na Grã-Bretanha (Cambridge e Birmingham). Teólogo pertencente à tradição presbiteriana, foi ordenado na Igreja Presbiteriana da Inglaterra, hoje incorporada na Igreja Unida Reformada.[1]

De sua vasta produção bibliográfica, destacam-se algumas obras de relevo como: *God and the Universe of Faiths* (1973); *Christianity and Other Religions* (1980); *God Has Many Names* (1982); *An Interpretation of Religion* (1989); *The Metaphor of God Incarnate* (1993); *Dialogues in the Philosophy of Religion* (2001); *The Fifth Dimension* (2004). No Brasil, foram traduzidas duas de suas obras: *Filosofia da Religião* (1970, publicada originalmente em 1963) e *A metáfora do Deus encarnado* (2000, publicada originalmente em 1993).[2]

---

1. Recentemente foi publicada sua autobiografia: *John Hick, an Autobiography*. Oxford: Oneworld Publications, 2003.
2. *A filosofia da religião*, uma de suas obras mais antigas, foi traduzida no Brasil pela editora Zahar, e *A metáfora do Deus encarnado* pela editora Vozes, com tradução do mesmo autor

A presente publicação dá continuidade ao processo de divulgação da reflexão de John Hick no Brasil, tarefa que vem sendo desenvolvida pelo Programa de Pós-graduação em Ciência da Religião da Universidade Federal de Juiz de Fora. Originalmente publicada em 1995, sob o título *A Christian Theology of Religions: The Rainbow of Faiths*, a obra nasceu motivada por uma série de conferências ministradas no *Union Theological Seminary* em Nova Iorque, em 1994 (*Auburn Lectures*), onde Jonh Hick buscou responder às indagações críticas feitas à sua versão do pluralismo religioso. Na Introdução, o autor apresenta brevemente a controvérsia teológica em torno da teologia pluralista das religiões e depois situa sua hipótese pluralista. A forma que encontrou para responder às inúmeras críticas que sua concepção de pluralismo tem suscitado, em âmbito filosófico e teológico, foi original: Hick escolheu como recurso de abordagem o diálogo com duas personagens por ele criadas, uma apresentando as críticas filosóficas – Fil – e a outra as críticas teológicas – Graça. Na interlocução com as duas personagens está João, ou seja, o próprio autor, que busca articular sua posição específica sobre a questão envolvida. No diálogo com Fil, John Hick aborda tanto as críticas pós-modernistas e de outra natureza à sua hipótese pluralista, como também a questão nodal do Real, de sua inefabilidade, e os critérios de autenticidade das respostas das grandes tradições religiosas. No diálogo com Graça, ocorrem as questões de cunho mais teológico, como a doutrina da encarnação e da unicidade de Deus, bem como da salvação, missão e diálogo inter-religioso. Ao final, John Hick insere uma breve reflexão sobre o desafio do pluralismo religioso para a forma tradicional de entender o cristianismo, e a necessidade de uma nova configuração do caráter do cristianismo em mudança.

---

da presente tradução, o professor Luis Henrique Dreher, do programa de pós-graduação em Ciência da Religião da UFJF. Há que registrar que um outro artigo de Jonh Hick, sobre o caráter não absoluto do cristianismo, havia sido publicado na revista do mesmo programa no ano de 1998 (*Numen*, v. 1, n. 1, jul-dez 1998).

Este livro de John Hick vem sublinhar a importância fundamental do debate acadêmico e do diálogo filosófico e teológico autênticos para facultar a identificação das questões reais, das diferenças entre as posições e o favorecimento de um campo de entendimento possível entre as partes. Na sua visão, a discussão teológica em torno do pluralismo religioso não tem sido bem conduzida. Hick reconhece que a temática apresentada é controversa, o que a seu ver não é negativo, pois há que se acostumar com a "rica diversidade interna do pensamento cristão" e reforçar a disposição ao exercício da escuta mútua e da cortesia humana. O autor indica que a presente obra tem por objetivo alimentar uma reflexão que é de longo prazo, bem como clarear e corrigir compreensões equivocadas ou apressadas sobre a sua hipótese pluralista e mostrar a plausibilidade de um efetivo pluralismo cristão.

Para melhor favorecer a compreensão da hipótese pluralista de Hick, faz-se necessário traçar, ainda que brevemente, o quadro das diferentes perspectivas no atual debate da teologia das religiões.[3] Uma posição mais tradicional vem identificada como "exclusivismo", presente tanto em âmbito católico-romano como protestante. De acordo com esta visão, não pode haver salvação sem o conhecimento explícito de Jesus Cristo e a pertença à Igreja. Para Hick, esta tendência é hoje mais restrita, vigorando para poucos católicos ultraconservadores e núcleos de fundamentalistas protestantes. Uma segunda posição, bem mais partilhada, é a do "inclusivismo", que se caracteriza por incluir crentes de outras tradições (não-cristãos) na esfera da salvação cristã. Há nesta posição um reconhecimento das religiões como caminhos de salvação, mas que, no entanto, implicam a salvação crística. Para Hick, o inclusivismo permanece ainda refém do antigo imperialismo teológico, restringindo a salvação ao âmbito cristão; e mesmo quando busca ampliar seu significado, mediante a idéia de um Cristo celestial que opera de forma misteriosa em todas as

3. John Hick justifica a manutenção do emprego da tipologia largamente usada nas teologias cristãs da religião, que classifica as posições em três: exclusivista, inclusivista e pluralista, reconhecendo as inúmeras variações que cada uma delas comporta.

tradições, o inclusivismo não consegue, segundo Hick, traduzir-se de forma mais efetiva: que tipo de causalidade invisível acompanharia a morte salvífica de Jesus, tornando-a eficaz e operativa para o exercício salvador/libertador das outras tradições religiosas? Em outros casos, faz-se recurso à figura de um Cristo ou Logos não-histórico, ou supra-histórico, para favorecer a plausibilidade de um Cristo que opera no contexto das religiões mundiais. São questões que Hick levanta ao longo de sua reflexão. Para ele, o que geralmente ocorre é um mero alongamento da idéia de inclusivismo, que, ao invés de favorecer o diálogo e a comunicação com as outras tradições religiosas, incorre na afirmação de uma "concepção vaga que, quando pressionada a aclarar-se, move-se na direção do pluralismo". Uma terceira posição, com a qual Hick se identifica, é a do "pluralismo", que surge exatamente como uma reação à reivindicação cristã de ser a religião de superioridade última. Postula-se, com o pluralismo, uma mudança de paradigma, para além do exclusivismo e do inclusivismo. O novo paradigma é reivindicado por Hick como condição necessária, hoje, para responder ao novo campo de percepção das outras tradições religiosas.

De acordo com a hipótese pluralista de Hick, o cristianismo deixa de ser o único e exclusivo meio de salvação, e as outras tradições religiosas aparecem como instâncias legítimas e autônomas de salvação, como religiões verdadeiras e não como um cristianismo diminuído. Trata-se de uma posição mais sintonizada com a nova consciência global e desperta para o valor do pluralismo de princípio. Para Hick, esta posição revela-se mais realista que as anteriores, admitindo que "dentro de cada uma das grandes tradições, naquilo que elas têm de melhor e mais ou menos na mesma proporção, se realiza a transformação salvífica da vida humana – transformação individual e coletiva que vai de um autocentramento destrutivo a uma nova orientação centrada na Realidade divina".[4] O arco-íris é escolhido como metáfora que expressa a positiva re-

4. John Hick. *A metáfora do Deus encarnado*. Petrópolis: Vozes, 2004, p. 122.

fração da Luz divina, ou do Real, nas diversas culturas religiosas da humanidade. As grandes religiões são reconhecidas por Hick como meios bem diferentes, mas igualmente válidos, de experimentar e responder à Realidade Última que no cristianismo é reconhecida como Deus.

A idéia de centralidade do Real vai ser decisiva na hipótese pluralista aventada por John Hick. Ela foi ganhando lugar cada vez mais importante na reflexão do autor, o que traduz um pensamento em contínuo processo de amadurecimento e abertura. É a Realidade Última que constitui, para Hick, a fonte e o fundamento de tudo, e esta Realidade é inefável, não podendo ser apreendida ou esgotada por nenhum sistema de crença em particular. As distintas expressões religiosas tornam-se contextos de salvação/libertação à medida que se sintonizam com este Real. Não há como acessar o Real em si, nem mesmo atribuir-lhe qualidades intrínsecas. Dele não se pode dizer que é pessoal ou impessoal, um ou muitos, consciente ou não-consciente, pleno ou vazio. Ele é em si inacessível, fora de qualquer alcance cognitivo. Mas, como a luz do sol, vem parcialmente apreendido pelas diversas tradições de forma diversificada. Para algumas tradições, será percebido como pessoal, para outras não-pessoal. John Hick serve-se da distinção kantiana entre o Real numênico (*an sich*) e o Real enquanto humanamente percebido. O que importa é que, do ponto de vista humano, este Real é percebido como bom, gracioso e benfazejo, sendo o ponto de partida essencial da transformação humana que rompe com a perspectiva egóica e autocentrada para constituir um novo centramento, que é afinidade com o Real e razão da bem-aventurança. Para Hick, as diversas tradições religiosas buscam realizar, ainda que por caminhos diversos, este processo de descentramento de si em favor do centramento no Real. Isto não significa, porém, a ausência de movimentos que agem em sentido contrário nas religiões, que atuam contra seu caráter predominantemente benigno.

Respondendo a alguns críticos, que relacionaram a acolhida positiva do pluralismo religioso a um produto do racionalismo pós-iluminista, Hick reconhece que a nova consciência global favoreceu o desenvolvimento atual do pluralismo religioso, mas adverte que a sensibilidade ao pluralismo religioso antecede em muito a esfera de influência do iluminismo, estando presente, por exemplo, na tradição hindu do vedanta, na tradição budista e na mística muçulmana sufi. Hick faz menção ao importante pensador sufi, Ibn al-Arabî (1165-1240 d.C), que, muito antes da afirmação da modernidade, reconhecia a riqueza do mundo plural. Para Ibn al-Arabî, Deus em si mesmo é independente dos mundos, e não pode estar limitado por crença alguma. É capaz de assumir todas as formas e crenças porque se diferencia teofanicamente, sendo incomparável a qualquer crença. As crenças são como "nós" ou "vínculos" que delimitam a "realidade" (*wujûd*) absoluta e não delimitada de Deus. Para este místico, a multiplicidade tem suas raízes em Deus mesmo, e a diversidade das crenças, antes de ser algo negativo, revela, ao contrário, a infinita e variegada auto-revelação do mistério de Deus.[5]

Uma semelhante concepção do pluralismo religioso teve acolhida positiva em determinados círculos, mas recebeu também severas críticas de outros setores mais alinhados com o exclusivismo ou o inclusivismo. No âmbito magisterial católico-romano, são conhecidas as críticas tecidas pelo atual prefeito da Congregação para a Doutrina da Fé, o cardeal Joseph Ratzinger – hoje, Papa Bento 16 –, para quem Jonh Hick constitui "o representante de maior relevo do relativismo religioso", que a seu ver tem sido uma filosofia dominante no momento atual.[6] A posição pluralista vem igualmente questionada pelo documento da Comissão Teológica Internacional, que trata a questão do cristianismo e as religiões.[7] Critica-se em

5. Ibn Arabî. *Le livre de chatons des sagesses*. Tome Premier. Beyrouth: Al-Bouraq, 1997, pp. 313-317; William C. Chittick. *Mundos imaginales:* Ibn al-Arabî y la diversidad de las creencias. Sevilla: Alquitara, 2003, pp. 280-281.

6. Joseph Ratzinger. Situação atual da fé e da teologia. *Atualização*, n. 263, set/out 1996, p. 546. Jonh Hick e outros autores mostraram como muitas das críticas tecidas por Ratzinger ao "relativismo" da teologia pluralista das religiões estão fundadas unicamente em fontes secundárias e apresentam inexatidões. Cf. Monique Aebischer-Crettol. *Vers un oecumenisme interreligieux*. Paris: Cerf, 2001, p. 472, n. 3.

7. Comissão Teológica Internacional. *O cristianismo e as religiões*. São Paulo: Loyola, 1997.

particular os desdobramentos que envolvem, na posição pluralista, a utilização da concepção epistemológica kantiana que distingue o *noumenon* do *phenomenon*. Na visão da mencionada Comissão Teológica, o *noumenon* acaba sendo "dissolvido" em suas expressões tão contrastantes. Critica-se também a radical separação entre o Transcendente e suas representações, favorecendo uma relativização das mesmas e impedindo qualquer reivindicação de exclusividade na questão da verdade.[8]

As críticas mais contundentes que John Hick busca responder, na seção do livro dedicada ao diálogo com a filosofia, são provenientes sobretudo de autores pós-modernistas, para os quais um questionamento mais decisivo ao pluralismo refere-se à sua possível desconsideração das diferenças concretas entre as tradições religiosas, de sua alteridade, levando a uma homogeneização destas tradições. Outros autores questionam o *status* atribuído pela corrente pluralista às várias tradições, que seria diferente daquele que as religiões mesmas se atribuem. Outros criticam ainda o risco totalizador presente na posição pluralista e o caráter vago que o Real acaba ganhando na construção pluralista, que conduziria a um certo agnosticismo transcendental. Em suas respostas aos diversos questionamentos, expressos na voz de Fil, John Hick busca mostrar como a posição pluralista não desconsidera a diferença e a alteridade de cada tradição religiosa. Cada tradição em particular é percebida como uma totalidade diferente. Não se visa, sob nenhuma hipótese, uma nova religião global, mas o reconhecimento de caminhos diferenciados de respostas ao Real. Com relação às outras críticas, Hick reconhece que a posição pluralista atribui um outro *status* às diversas tradições religiosas, mas isto não significa um desrespeito à sua integridade. Há que reconhecer que toda tradição religiosa está em processo de crescimento e aperfeiçoamento, sendo permanentemente provocada ao diálogo e à transformação. Hick argumenta que as respostas dadas pelas religiões ao Real sempre acontecem dentro de seu mundo conceitual, o que nem

8. Ibidem, n. 14, p. 15.

sempre favorece o reconhecimento do valor de outras percepções do Real. Quando isoladas e deslocadas das interlocuções, as crenças tendem a acomodar-se no seu caminho salvífico específico de acesso ao Real, e a forma que muitas vezes encontram para compreender as outras tradições é subordinando-as à sua lógica particular. Daí a necessidade de buscar uma "perspectiva mais abrangente", capaz de desentranhar novos canais de abertura e diálogo, para além da tendência absolutista que pode acompanhar o movimento isolado das tradições em si. Com respeito ao caráter do Real, John Hick sublinha ser inexata a idéia de que, ao longo de sua reflexão, o Real se foi tornando cada vez mais vago a ponto de ser redundante. O que o autor afirma é que a natureza do Real não pode ser devidamente expressa no contexto dos sistemas conceptuais humanos, pois é sempre maior e está mais além. Isto não significa que não pode ser descrito pela linguagem humana, mas que esta deve estar consciente de suas limitações. O que para ele é implausível é a pretensão de uma única religião reivindicar a exclusividade da concepção verdadeira do Real.

As implicações teológicas de sua reflexão aparecem na seção do livro dedicada ao diálogo com a personagem Graça, que apresentará as críticas teológicas à posição pluralista. As críticas mais importantes concentram-se nas implicações da hipótese pluralista para as doutrinas consideradas centrais no cristianismo como a Encarnação e a Trindade. Para Hick, levar a sério o pluralismo significa rever radicalmente a estrutura tradicional da teologia cristã. Em sua visão, a doutrina da encarnação, assim como tradicionalmente entendida, produziu na História sérios efeitos colaterais, entre os quais o anti-semitismo cristão, a exploração colonialista ocidental, a subordinação social das mulheres e um arrogante complexo de superioridade do cristianismo face às outras religiões.[9] Segundo Hick, os desdobramentos da visão tradicional levam necessariamente à visão de superioridade do cristianismo. Há, segundo ele, uma linha de continuidade que vai da idéia de que Jesus de Nazaré era o Deus Filho

9. Esta mesma questão já tinha sido objeto da reflexão do autor em livro anterior: cf. John Hick. *A metáfora do Deus encarnado*, pp. 111-122.

para a idéia da centralidade mundial do cristianismo, visto como a única religião fundada por Deus em pessoa. Uma tal idéia é, para ele, incompatível com uma compreensão pluralista do cristianismo, entendido como uma das respostas salvíficas à Realidade Última.

Na visão do autor, a idéia de encarnação não pode ser compreendida em sentido literal, mas em sentido metafórico. Com base em estudos protestantes e católicos sobre o Novo Testamento, Hick indica que "o Jesus histórico não ensinou que ele era Deus ou o Deus Filho, a segunda pessoa, encarnada, da Santa Trindade". Sua consciência era a de um "profeta enviado por Deus", alguém marcado por intensa consciência de Deus, que se tornou fonte de inspiração e direção para seus ouvintes. Para Hick, a afirmação da divindade de Jesus foi fruto da tradição eclesial posterior, encontrando no Concílio de Nicéia (325 d.C.) sua adoção oficial.[10] A metáfora bíblica do "Filho de Deus", presente nas escrituras hebraicas, é transformada numa doutrina metafísica da encarnação, rígida e literal: "um filho metafórico de Deus se transforma no Deus Filho metafísico, segunda pessoa da Trindade".[11]

Na hipótese pluralista de Hick, Jesus aparece como um ser humano excepcional, radicalmente aberto à presença e influência de Deus, marcado por uma extraordinária e intensa consciência de Deus, que "encarna" de forma singular a dinâmica divina para a vida humana, que torna Deus real para os outros. Ele é alguém "que corporificou, nas circunstâncias de sua época e lugar, o ideal da humanidade, que viveu em abertura e em atitude de resposta a Deus, e, ao fazê-lo, 'encarnou' um amor que reflete o amor divino".[12] O que marca a personalidade de Jesus, para Hick, é a sua "extraordinária autoridade moral" e a riqueza de seu amor acolhedor. Esta é a tese de Hick que tem provocado a reação mais contundente de muitos

10. Como indica Hick, foi no Concílio de Nicéia "que pela primeira vez a Igreja adotou oficialmente, da cultura grega, o conceito não bíblico de *ousia*, declarando que Jesus, como o Deus Filho encarnado, era da mesma substância que o Pai (*homoousios toi patri*)": John Hick. *A metáfora do Deus encarnado*, p. 66.

11. John Hick. *A metáfora do Deus encarnado*, p. 66. Ver também, p. 55.

12. John Hick. *A metáfora do Deus encarnado*, p. 26. Ver ainda pp. 16, 25, 32, 42 e 49.

de seus críticos e uma firme resistência contra as interpretações propostas pela cristologia pluralista. Mas o grande parceiro de Hick na teologia pluralista, o teólogo católico Paul Knitter, mostrou, em trabalho realizado na metade dos anos 90, que a reflexão de Hick não pode, necessariamente, ser lida como uma "negação da divindade de Jesus ou do poder salvífico de Jesus". O que ele realiza é uma reinterpretação desta divindade, de forma a não obstruir a possibilidade de percepção da presença salvadora de Deus também alhures.[13]

A grande controvérsia gira em torno da questão da possibilidade ou não de uma reflexão teológica que sustente a idéia de Jesus como Deus encarnado, sem necessariamente levar à reivindicação da superioridade do cristianismo. É uma das indagações levantadas por Graça no diálogo com João. De fato, há teólogos inclusivistas, como Jacques Dupuis e Claude Geffré, que reconhecem e defendem tal possibilidade. Este último teólogo crê que não é descartando o mistério da encarnação que se pode chegar a uma perspectiva dialogal. O que propõe é a superação de uma concepção ainda limitada da singularidade cristã:

"Assim, em vez de recorrer a um teocentrismo geral, acho que é um aprofundamento do mistério da encarnação que nos deve permitir compreender como se pode manter a singularidade do mistério de Cristo, sua unicidade, sem fazer que esta unicidade conduza a uma espécie de imperialismo e de hegemonia do cristianismo em relação às outras religiões".[14]

John Hick reconhece a possibilidade de cristãos ortodoxos atuarem sua perspectiva religiosa sem necessariamente adotar uma atitude arrogante e desrespeitosa quanto aos crentes de outras tradições. Mas sua interrogação decisiva gira em torno da "lógica das crenças". Para ele, a lógica interna que acompanha a tradição cristã, seu traço normativo, acaba suscitando uma compreensão e uma dinâmica de superioridade

---

13. Paul Knitter. *Una terra molte religioni*. Assisi: Citttadella Editrice, 1998, pp. 69-70.
14. Claude Geffré. *Crer e interpretar*. A virada hermenêutica da teologia. Petrópolis: Vozes, 2004, p.163.

sobre as outras religiões. Um exemplo patente, no âmbito do catolicismo romano, é a Declaração *Dominus Iesus*, da Congregação para a Doutrina da Fé. Ao abordar a relação da Igreja com as outras religiões, indica-se claramente que estas encontram-se objetivamente numa "situação gravemente deficitária, se comparadas a daqueles que na Igreja têm a plenitude dos meios de salvação".[15] Para Hick, não há como romper semelhante lógica no interior de nenhuma forma de inclusivismo cristão.

Na teologia pluralista das religiões defendida por Hick, amplia-se igualmente a compreensão de salvação, missão e diálogo. O que ele propõe é uma ampliação do olhar, para além de uma tradição específica, de forma a poder captar o "otimismo cósmico" presente nas diversas tradições. As idéias de bondade, amor, compaixão não se restringem ao cristianismo, mas se estendem às diversas tradições religiosas. Apesar de marcadas por traços de ambigüidade, as religiões buscam por meandros diversificados a transformação humana radical, e nesse sentido são caminhos de salvação. Nenhuma religião particular pode, segundo Hick, sobressair como mais salvífica que as outras. O critério decisivo de sua autenticidade é revelado por seus frutos morais e espirituais concretamente observáveis na dinâmica histórica. Na hipótese pluralista, a antiga compreensão de missão, entendida como processo de conversão de todos ao cristianismo, não apenas perde sua plausibilidade como revela-se extremamente problemática no atual contexto da diversidade da família humana e do desafio em favor da paz. Para Hick, a mensagem evangélica deve alimentar e aquecer o coração dos cristãos, e não ser imposta como norma universal para todos. Em sua visão, o caminho mais produtivo para o momento atual não é o do proselitismo, e sim o do diálogo inter-religioso, diálogo que não dissimula ou apaga as diferenças entre as religiões, mas provoca em cada uma delas o exercício essencial de escuta mútua, aprendizado e recíproco enriquecimento. Hick reconhece que o momento atual tem suscitado uma sedução fundamentalista bem

---

15. Congregação para a Doutrina da Fé. *Declaração Dominus Iesus*. São Paulo: Paulinas, 2000, p. 42, n. 22.

problemática, mas acredita que os sistemas diversificados de crença apresentam um real potencial de desenvolvimento criativo e de abertura para as mudanças. Não há outra saída senão a partilha de idéias e o intercâmbio de experiências, sempre animados pela cortesia espiritual, pela serenidade e gentileza. O diálogo não visa a afirmação de uma única religião global, mas o intercâmbio das diferentes respostas dadas pelas tradições religiosas ao mesmo Real. Segundo Hick, o que se espera do futuro não é a dissolução da diversidade religiosa, que é sempre uma riqueza, mas o exercício da reciprocidade inter-religiosa e seus desdobramentos no sentido da transformação e enriquecimento das tradições que estarão sempre mais ligadas por laços de amizade e fraternidade. Na parte final do livro, Hick prenuncia, num "salto de imaginação", o horizonte do cristianismo a partir do ano de 2056, quando então a visão pluralista poderá ganhar maior aceitação dentro do próprio cristianismo. Em uma era mais pluralista, haverá lugar e espaço para um maior intercâmbio espiritual, já que deixarão de existir os obstáculos e preconceitos que bloqueiam a abertura do olhar e do coração para a diversidade de fontes espirituais que pontuam as respostas humanas distintas no horizonte maior do Mistério do Real.

Desde o lançamento do volume de ensaios editado por John Hick, intitulado *The Myth of God Incarnate* (1977),[16] e sobretudo após a publicação do livro por ele organizado com Paul Knitter em favor de uma teologia pluralista das religiões,[17] o meio eclesiástico e teológico cristão ficou profundamente abalado. As reações às teses pluralistas foram imediatas e diversificadas. As teses de John Hick ficaram associadas, no imaginário exclusivista ou inclusivista dominante, ao relativismo. Foram poucos os que se deram ao empenho intelectual de se debruçar sobre as

16. John Hick. *Il mito del Dio incarnato*. Foggia: Edizione Bastogi, 1982 (a publicação original inglesa é de 1977).

17. John Hick & Paul F, Knitter (Eds). *L´unicità cristiana: un mito?* Per una teologia pluralista delle religioni. Assisi: Cittadella Editrice, 1984 (a publicação original inglesa é de 1987).

inúmeras obras do autor para estabelecer com ele uma interlocução crítica e fecunda. Muitos se restringiram a leituras parciais ou deslocadas do contexto mais amplo de sua reflexão, ou mesmo se contentaram com leituras de segunda mão. Muitos preconceitos e visões apriorísticas acabaram dificultando ou mesmo impedindo o acesso preciso à reflexão de Hick. Um dos fervorosos defensores da reflexão deste autor, o teólogo Perry Schimidt-Leukel, busca mostrar que grande parte das objeções feitas a Hick estão fundadas numa "ignorância ou interpretação incorreta" de seu pensamento, asseverando inclusive que sua posição pluralista não é incompatível, como muitos tendem a pensar, com as afirmações fundamentais da fé cristã.[18] Não se quer dizer que a reflexão e a obra de Hick estejam isentas de problematização ou questionamento, mas que merecem maior cuidado e uma atenção despojada para a sua devida avaliação. Os leitores devem ser convidados a uma leitura mais honesta e desarmada da reflexão proposta, de forma a favorecer o melhor entendimento das posições de John Hick. É necessário e urgente a abertura de um debate mais amplo sobre o pluralismo religioso e a teologia pluralista das religiões. Nada mais sadio que um ambiente propício às distintas percepções da fé cristã para a interlocução e o diálogo teológico. Este é o convite que se faz ao leitor na apresentação de mais esta obra deste importante autor, ainda pouco conhecido no Brasil.

---

18. Monique Aebischer-Crettol. *Vers un oecuménisme interreligieux*, p. 470.

Prefácio

Chegado o final do século XX, o cristianismo encontra-se numa crise profunda. A estrutura teológica desenvolvida pela Igreja ocidental parece atualmente vazia e irrelevante para a maioria das pessoas do Ocidente, e, para muitos cristãos e cristãs da África, Índia, China, e do Oriente de um modo geral, passa a impressão de ser, enquanto extensão da hegemonia cultural ocidental, algo de estranho e alheio.

São várias as facetas desta crise, e este livro ocupa-se de uma delas: a descoberta amplamente difundida de que o cristianismo é somente uma entre diversas religiões mundiais. Judaísmo, islamismo, hinduísmo, e budismo doravante aparecem, para muitas pessoas, como respostas diferentes, mas, a julgar por seus frutos na vida humana, igualmente autênticas a Deus, ao Divino, ao Último, ao Real. Esta aceitação do pluralismo religioso, com freqüência mais implícita que explícita, comporta a necessidade de repensar os dogmas que têm, como implicação, a superioridade religiosa do cristianismo – e isto não somente para aqueles entre nós formados pelo cristianismo, mas para toda a raça humana. Uma vez feito isto, uma fé cristã intelectualmente honesta e realista pode ser ainda capaz de falar ao profundo interesse e preocupação religiosos que existem, tão fortes como nunca, entre uma população ocidental que há muito tempo deixou de cativar-se pela religião tradicional e institucional.

É possível compreender a expressão "pluralismo religioso" de diversos modos, e nas *Auburn Lectures*, de 1994, realizadas no *Union Theological*

Seminary, em Nova Iorque, pediram-me para responder a críticas dirigidas à versão de pluralismo religioso por mim defendida. Esta minha versão considera as grandes religiões mundiais como modos muito diferentes, mas, tanto quanto posso concluir, igualmente válidos de conceber, experimentar e de dar uma resposta de vida à Realidade Última que denominamos Deus. O arco-íris, a luz do sol refletida pela atmosfera terrestre que gera um glorioso espectro de cores, é uma metáfora usada para a refração da Luz divina através de nossas culturas religiosas humanas. Esta concepção de pluralismo religioso foi bem acolhida por alguns, mas fortemente criticada por outros. A obra a seguir tenta responder a estas críticas, em grande parte na forma de um diálogo com um filósofo – aqui chamado Fil –, e uma teóloga – de nome Graça.

Uma série de agradecimentos e algumas explicações adicionais teriam aqui seu lugar. Coloquei-as, porém, no Apêndice I, para facilitar a tarefa dos leitores que preferirem, já agora, entrar diretamente no bojo do argumento.

John Hick
Fevereiro de 1995
Institute for Advanced Research in the Humanities
Universidade de Birmingham, Reino Unido

Introdução

Sobre a controvérsia teológica

O fato de existir uma pluralidade de grandes religiões mundiais é hoje experimentado, por muitos cristãos, tanto como um problema de ordem prática como de ordem intelectual. Este livro ocupa-se principalmente do problema intelectual, assim como atualmente é tratado por teólogos e filósofos.

Já de início, temos de reconhecer que quase todos os tópicos nestes dois campos do conhecimento, filosofia e teologia, são controversos. Na verdade, isto sempre foi assim, muito embora, por muitos séculos, as discussões teológicas tenham sido objeto do monitoramento e das restrições de uma ortodoxia dominante, aliada do poder secular. Em termos aproximados, isto aconteceu desde o Concílio de Calcedônia, em 451 d.C., até a Reforma no século XVI, e depois, separadamente, dentro do catolicismo e do protestantismo até o século XVIII. Mais recentemente, a diversidade de perspectivas, os debates e as divergências brotaram e vicejaram dentro de um clima relativamente livre. Digo "relativamente" porque, sob o papado de João Paulo II, foram e são exercidas fortes pressões institucionais sobre teólogos católicos, urgindo-os a aderir ao magistério do Vaticano, particularmente no tocante a questões morais. De modo semelhante, nas Igrejas batistas, presbiterianas e metodistas dos Estados Unidos da América (EUA) tem ocorrido, já há vários anos, uma guinada à direita, desencorajando, em nível institucional, a interrogação e a experimentação teológica. Enquanto isso, do outro lado do Atlântico, um clérigo da Igreja da Inglaterra foi recentemente demitido de seu posto por expressar idéias ultraliberais – sendo esta a primeira vez que isto aconteceu ao longo de várias gerações. Conclui-se, disso, que as estruturas oficiais das Igrejas tradicionais não estão, hoje em dia, exatamente dispostas a acolher idéias controversas. Todavia, os "hereges" e os "radicais" não são mais queimados vivos na fogueira, nem torturados pela Inquisição. Atualmente, pode-se dizer qualquer coisa, apesar disto custar, muitas vezes, a carreira e o futuro profissional da pessoa em questão.

De outra parte, ao passo que, nas Igrejas, encontramos este quadro ambíguo e misto de debate livre e imposição da ortodoxia, o mundo acadêmico apresenta-se como um campo muito mais aberto para o teste e o exame das idéias em meio a vigorosas controvérsias. Nos Estados Unidos, isso se tem traduzido em debates livres de inibições sobre praticamente todo e qualquer tópico. Na Grã-Bretanha, a diversidade teológica ainda é limitada de maneira residual pelo fato de algumas das mais prestigiosas cátedras universitárias serem reservadas, por lei, a membros ordenados do clero da Igreja Anglicana, bem como pelo fato de que a Igreja da Escócia continua a ter voz decisiva nas designações de professores para as cátedras teológicas escocesas. E uma influência eclesiástica restritiva de dimensão semelhante, ou ainda maior, sucede nas universidades alemãs quando se trata das designações de professores seniores, e isso tanto pelo lado católico como pelo lado protestante.

Ainda assim, e a despeito destes fatores limitadores, um número significativo de discussões e debates de qualidade chega a ter lugar, e é por meio desta prática que as questões são gradualmente aclaradas – às vezes com certo grau de consenso.

Isso ocorre em muitos contextos diferentes: em discussões informais entre colegas professores num departamento de universidade, de faculdade ou de seminário teológico; em grupos organizados e locais de discussão e em seminários; em meio a perguntas, comentários e réplicas que têm lugar após conferências públicas e apresentações de trabalhos em congressos; e em artigos e recensões publicados em periódicos acadêmicos – e, naturalmente, em livros.

O objetivo do diálogo teológico e filosófico não é, necessariamente, chegar a um acordo – apesar disso ser muito desejado e de algumas vezes acontecer –, mas identificar as diferenças de modo mais preciso e discernir quais sejam os prós e contras de uma dada questão. Contudo, minha impressão – como pensador por vários anos envolvido nesses diferentes tipos de debate e argumentos – é que nós, da comunidade acadêmica, geralmente não sabemos conduzir bem nossas controvérsias.

A principal razão disso se deve, penso eu, às absolutas dificuldades práticas que impedem uma comunicação efetiva em um conjunto tão grande e difuso de indivíduos. Se dois filósofos ou teólogos, que são pessoas razoáveis e civilizadas, se reúnem por um período suficientemente longo a fim de debater sobre uma questão específica, podem chegar ao ponto em que cada um veja claramente a posição do outro e os argumentos em seu favor (de modo a tornar possível o relato desses argumentos a um terceiro), ponto no qual, ademais, cada um identifica seus próprios pressupostos e os do outro. Neste ponto do debate, ou um dos dois foi já convencido pela visão do outro, ou ambos constróem, em conjunto, algo de novo que será diferente da posição inicial de cada um deles; ou, ainda, acabam concordando em divergir, sabendo claramente qual o ponto da divergência.

Todavia, até mesmo quando esses princípios são observados,[19] resta um fator adicional, tão básico como inevitável, que afeta todas as discussões de tópicos como os tratados neste livro. Imagine-se que dois cristãos conversam sobre uma das questões centrais para o nosso tópico. Um crê que Jesus foi Deus (no sentido de ser ele uma das três pessoas de uma Trindade divina) encarnado, e, conseqüentemente, a única revelação plena e final do divino para toda a humanidade. O

19. Na edição inglesa, o autor faz uma análise das circunstâncias e condutas que dificultam o diálogo acadêmico. Na presente edição, suas considerações e propostas são apresentadas no Apêndice II. (N.E.)

outro, por sua vez, crê que Jesus foi um homem notavelmente aberto e responsivo à presença divina, que vivenciou e praticou intensamente seus próprios ensinamentos quanto ao amor de Deus e ao modo de viver no mundo de Deus – um homem, enfim, a quem aceitamos como líder e guia espiritual. Tanto o primeiro como o segundo irão fundamentar suas convicções com argumentos relativos a uma série de fatores: se Jesus realmente disse isso ou aquilo; quão importante é se ele disse ou não aquilo; se devemos confiar nos vários documentos do Novo Testamento em termos de sua veracidade histórica; se e até que ponto o desenvolvimento da doutrina cristã foi guiado divinamente; se é possível atribuir qualquer sentido à idéia ortodoxa das duas naturezas, divina e humana; se importa ou não conseguir atribuir-lhe algum sentido; se houve, e quais foram, os benefícios e malefícios da civilização cristã no decorrer dos séculos; e assim por diante, numa longa seqüência. Os dois podem pensar que fundamentaram convenientemente suas posições. O que normalmente acontece, porém, é que ambos estão tão comprometidos com suas respectivas posições que, se alguns de seus argumentos parecerem insustentáveis, isso não irá desconcertá-los: simplesmente irão para casa e inventarão novos argumentos! Isso porque nossas crenças nessa área, como em qualquer outra área fundamental, são conclusões globais oriundas de um vasto espectro de influências e considerações – por exemplo, a família, a cultura e a época na qual nascemos, nossa educação e experiências de vida, nossa leitura e nossa interação com os outros, nossos encontros com indivíduos que causam uma grande impressão espiritual, e assim por diante. Nisso tudo há muito mais que argumentos claramente articulados; na verdade, nossas convicções mais profundas, via de regra, não dependem realmente dos argumentos que produzimos para defendê-las.

Isso é muito óbvio no nível fundamental da adesão à nossa própria religião, e de nossa não-adesão a qualquer outra. Será que se deve a uma série de argumentos cuidadosamente ponderados o fato de eu ser cristão, e não muçulmano ou budista? Não se dá, pelo contrário, o caso de que minha adesão tem a ver com o fato de que nasci na Inglaterra, e não, por exemplo, na Arábia Saudita ou na Tailândia, de modo que, no momento do meu despertar religioso, a experiência adquiriu uma forma cristã em vez da islâmica ou budista? É claro que, se tivesse nascido em um destes países, eu não seria o mesmo "eu", visto que somos em tão grande medida formados pela nossa própria cultura. Portanto, é preciso enfocar este aspecto da questão de outro modo. Quando uma pessoa - qualquer pessoa - nasce de pais muçulmanos no Egito, no Paquistão ou na Indonésia, é muito provável que se torne muçulmana; se os pais forem budistas do Tibete, de Sri-Lanka ou do Japão, é muito provável que se torne budista; se nasce de pais hindus na Índia, há toda probabilidade de que se torne hinduísta; se nasce de pais cristãos no México, na Polônia ou na Itália, muito provavelmente se tornará cristão católico; e assim por diante. Cada religião nos cria à sua própria imagem, de sorte que ela se adapta naturalmente a nós - e nós a ela - de um modo que nenhuma outra poderia.[20] E, uma vez que fomos assim formados por uma destas tradições, parece-nos óbvio que ela é correta / verdadeira / normativa / superior a todas as outras. Mas esta obviedade normalmente não depende de evidências e argumentos, nem será facilmente abalada por evidências e argumentos contrários.

Parece provável que, no Ocidente em grande medida pós-cristão, estejamos entrando numa nova era na qual os jovens não são mais tão fortemente formados por uma tradição a ponto de assumir sem

---

20. Essa idéia sofreu objeções da parte de Julius Lipner, que pensa que ela pressupõe que "o eu humano é algum tipo de entidade numênica, existente antes do nascimento ou da concepção num estado incorpóreo indistinto" ("Does Copernicus Help?", *Religious Studies*, v. 13, n. 2, jun. 1977, p. 255.). Mas por que deveria pressupor isto? Não consigo encontrar razão alguma para isso! Roger Trigg, por sua vez, levantou sua própria objeção com base no argumento de que é igualmente verdade que aquele cujos pais são ateus bem pode tornar-se ateu, de modo que a relação da crença ao tipo de criação não serve, necessariamente, de apoio a uma filosofia religiosa em contraste com uma filosofia naturalista. ("Religion and the Threat of Relativism", *Religious Studies*, v. 19, n. 3, set. 1983, p. 298). Mas é claro que a afirmação de tal relação não pretende proporcionar este apoio. A intenção é, isto sim, lembrar às pessoas religiosas sobre a correlação entre suas crenças específicas e as circunstâncias em torno do seu nascimento e criação, aludindo com isso à necessidade de tratar aquelas crenças específicas com uma "hermenêutica da suspeita".

questionamento a sua verdade. E não obstante, continua a haver um alto nível de interesse, a maior parte dele fora das Igrejas, nas questões profundas acerca do significado da nossa existência. Pode ser que muitas pessoas venham a examinar as diferentes opções religiosas e fazer sua própria escolha, algumas sendo atraídas pelo cristianismo, outras pelo budismo, pelo islamismo, pelo hinduísmo, e assim por diante. Outras, ainda, serão atraídos por uma espiritualidade eclética, que retira elementos de uma variedade de fontes. Esta, contudo, é uma situação nova, e ainda teremos de ver como irá se desenvolver no século XXI.

As escolhas são geralmente menos fundamentais dentro de uma dada tradição teológica. Mas é claro que o leque de opções permissíveis é, em si mesmo, uma questão importante que envolve juízos e convicção; este é, com a mesma freqüência, o caso de alguém que decide crer no que sua Igreja ensina, pois tal decisão já pressupõe um juízo a respeito da autoridade divina da Igreja. O caso particular da divindade de Jesus qualifica-se como decisão fundamental para muitos cristãos. Desde o Concílio de Nicéia em 312 d.C., quando esta crença foi oficialmente adotada, os líderes do cristianismo institucional definiram-na como o elemento central do credo cristão. E contudo, nos dias de hoje, encontramos muitos teólogos cristãos e pessoas leigas, homens e mulheres, que a aceitam em sentidos bem matizados: como uma afirmação metafórica, ou em termos de graus de divindade, ou como uma fórmula tradicional cujas implicações (e, conseqüentemente, cujo significado maior) tacitamente ignoram. Do ponto de vista da liderança eclesial, isto é descrença. Do ponto de vista de um crescente número de membros da Igreja que deram um passo nesta direção, isso constitui maior realismo e honestidade. Ainda assim, nesse ponto, os ortodoxos e os heterodoxos, ou os tradicionalistas e os progressistas, apresentam juízos gerais globais significativamente diferentes, os quais são atacados e defendidos com argumentos que, no entanto, normalmente não alcançam as fontes mais profundas da crença religiosa. Mudanças de opinião podem acontecer, e realmente acontecem, como resultado de uma longa ruminação sobre a questão numa perspectiva abrangente, mas quase nunca como resultado de um desmonte provocado por argumentos específicos.

Em vista disso, o objetivo desse livro é alimentar esta reflexão de longo prazo. Espero, no decorrer do mesmo, corrigir algumas compreensões errôneas, clarear algumas questões, mostrar por que razão há espaço para um pluralismo cristão e por que este atrai um número crescente de pessoas, tanto dentro como fora das Igrejas. As críticas à perspectiva pluralista por mim discutidas têm sido formuladas tanto por teólogos como por filósofos; mas os pontos em questão concernem igualmente a homens e mulheres dados ao pensamento e que não são teólogos ou filósofos profissionais. Portanto, este livro é destinado a qualquer pessoa que deseja receber algum estímulo e algumas diretrizes em sua própria reflexão sobre aquela que, hoje, vem a ser uma notável e espinhosa questão tanto para os cristãos quanto para os fiéis de outras crenças e religiões.

I

A Hipótese Pluralista

Em primeiro lugar, permitam-me dizer que estou muito honrado por ter sido convidado a apresentar esta série de conferências de Auburn, principalmente em se tratando de um tópico cujo interesse tem crescido no decorrer dos últimos anos na agenda teológica e prática das Igrejas: a relação entre os cristãos e pessoas de crenças religiosas diferentes. O assunto é controverso. De fato, tudo que se revela como de real interesse para a teologia atual é controverso, e se a Igreja como um todo não quiser descer ao nível das discussões marcadas pelo amargor, pelo ressentimento e anatematização recíproca, teremos de nos acostumar com a rica diversidade interna do pensamento cristão. Reconheço, entretanto, que o que vou dizer pode aparecer apenas como uma demolição da fé, como heresia ou apostasia, para muitas pessoas situadas na extremidade mais conservadora do espectro cristão. Também é verdade que, no tocante a este tópico, algumas das posições assumidas por cristãos mais conservadores criam um impacto entre nós como posições já impossíveis de sustentar. Apesar disso, devemos estar dispostos a ouvir-nos mutuamente, oxalá com cortesia humana e caridade cristã. Espero, portanto, tentar, como contribuição aos debates em curso, dar razões às minhas propostas mais do que simplesmente fazer valer seus direitos; e levantar argumentos específicos contra idéias que me parecem equivocadas, ao invés de simplesmente rejeitá-las já de saída.

Iniciando no nível mais básico

Com a expressão "crenças" ou "diferentes religiões" da nossa tenho e terei em mente principalmente as outras "grandes religiões mundiais", especificamente o judaísmo, o islamismo, o hinduísmo e o budismo. Procedo assim não porque outras religiões menores ou mais recentes, assim como a religião "primordial" e os grandes sistemas de crença seculares como o humanismo e o marxismo, não tenham, em si mesmos, uma importância intrínseca comparável, mas simplesmente porque o tempo é limitado. Faço-o também porque aquelas que geralmente se denominam "grandes religiões mundiais" têm existido por muitos séculos, afetando a vida de milhões de pessoas, de sorte que há suficiente conhecimento público a seu respeito para que seja possível tratá-las como referência a um pano de fundo comum em termos de saber e conhecimento. Gostaria, contudo, de enfatizar a expressão "povos de diferentes crenças", pois irei sugerir que a maneira de avançar nessa área, que tanta perplexidade nos causa, deve ser encontrada mediante um exame que se dirige, em primeiro lugar, à vida real das pessoas situadas nos contextos de nossa própria tradição e de outras tradições.

A partir deste ponto mais básico, direcionar-me-ei àquela que considero uma teologia cristã das religiões apropriada aos dias de hoje. Digo "aos dias de hoje" porque a teologia é um organismo que cresce e se desenvolve, de modo que um quadro teológico de referências apropriado aos dias atuais e futuros bem pode divergir daquele que era apropriado há mil anos – ou mesmo, visto que o ritmo da mudança cultural tem aumentado, daquele apropriado há cem anos ou mesmo há uma geração.

As novas condições que afetam nossa compreensão das religiões mundiais se têm formado gradualmente ao longo dos últimos três séculos. Durante o movimento denominado "iluminismo europeu" dos séculos XVII e XVIII, desenvolveu-se uma percepção no Ocidente que a cristandade faz parte de um mundo humano bem mais amplo, com civilizações notáveis existindo fora da cristandade, sobretudo na China e na Índia e no mundo islâmico; e junto com essa percepção crescente surgiu uma outra, que se traduz na idéia de que o cristianismo é uma religião mundial entre outras. Foi nessa época que a idéia genérica de religião se estabeleceu em círculos eruditos, sendo o cristianismo considerado uma forma particular da religião. Mas, atualmente, em particular desde o final da Segunda Guerra Mundial, essa percepção alcançou um lugar de destaque na consciência pública. Pelo menos três novos fatores contribuíram para isto. O primeiro foi uma explosão de informações no Ocidente a respeito das religiões mundiais. Pesquisas de alta qualidade, publicadas em brochuras razoavelmente acessíveis, tornaram-se prontamente disponíveis; tratam - segundo a ordem de antigüidade - do hinduísmo, judaísmo, budismo, jainismo, taoísmo, confucionismo, islamismo, siquismo e baha'ismo, bem como das religiões primordiais ou indígenas da África, das Américas do Norte e do Sul, da Australásia e de outros lugares. O segundo fator foram as oportunidades de viagem que se multiplicaram. Com isso, grande número de ocidentais começou a passar temporadas na Índia, na Turquia, no Egito, na Tailândia, no Sri Lanka e em outros países não-cristãos, vendo algo da influência pacífica do budismo entre o povo tailandês; algo da devoção extática e do poderoso senso do divino entre os hinduístas; algumas das maravilhas da civilização islâmica expressa, por exemplo, em termos arquitetônicos, no Taj Mahal, em Agra, ou nas grandiosas mesquitas de Istambul. Além disso, muitos ocidentais também realizaram suas próprias jornadas interiores de expansão da mente e de alteração da consciência ao praticarem métodos de meditação orientais. Um terceiro novo fator, e talvez o mais importante, foi o da imigração em massa do Oriente para o Ocidente, de muçulmanos, siques, hinduístas e budistas, que vieram estabelecer-se na Europa e na América do Norte. Existem, por exemplo, entre quatro e cinco milhões de muçulmanos na América do Norte e cerca de cinco milhões na Europa; e também existem, no Ocidente, números menores, mas assim bastante significativos, de hinduístas, siques e budistas, para não falar, naturalmente, das comunidades judaicas desde há muito estabelecidas, tragicamente reduzidas em um terço durante o holocausto nazista dos anos de 1940. Como resultado da imigração no pós-guerra, estamos agora familiarizados, em muitas das principais cidades do mundo ocidental – até mesmo em minha própria cidade, Birmingham, na Inglaterra –, não só com igrejas e sinagogas, mas também com mesquitas, *gurudwaras*, centros de meditação e templos de vários tipos; e podemos inclusive ter devotos destes lugares como nossos vizinhos.

Um resultado adicional, que produz uma impressão ainda mais profunda e mais significativa em muitas pessoas, é o fato de que, na medida em que se passou a conhecer os indivíduos e as famílias dessas várias religiões, tornou-se uma descoberta razoavelmente comum a de que nossos concidadãos muçulmanos, judeus, hinduístas, siques ou budistas são, no geral, tão ou mais gentis, honestos e solícitos com as outras pessoas, e tão ou mais verazes, honrados, amorosos e compassivos do que a maioria de nossos concidadãos cristãos. Os adeptos de outras religiões não são, em média, seres humanos comprovadamente melhores do que os cristãos; por outro lado, tampouco são, em média, piores. Acabamos descobrindo que tanto as virtudes como os vícios estão, até onde podemos dizer, mais ou menos distribuídos de modo equiparável entre a população, qualquer que seja sua religião principal – e aqui incluo o humanismo e o marxismo como grandes sistemas de crença (apesar destes sistemas serem antes seculares que religiosos). Seja como for, tenho de registrar o fato de que minha própria experiência, inevitavelmente limitada, de travar conhecimento com judeus, muçulmanos, hinduístas e budistas – incluindo-se aí um ou outro indivíduo notável destas religiões, bem como indivíduos e famílias mais comuns, tanto nos EUA como na Europa, mas também na Índia, Sri Lanka e Japão –, levou-me a pensar que os frutos espirituais e morais destas religiões, embora diferentes, estão mais ou menos em uma situação de paridade com os frutos do cristianismo. De igual modo, a leitura de algumas obras que representam a literatura das diferentes tradições – seja de textos de suas escrituras e filosofias, seja de algumas de suas novelas e poemas que descrevem a vida cotidiana – acabou reforçando esta impressão.

Mais uma vez, quando consideramos as grandes civilizações do planeta, informadas, como foram, por diferentes crenças religiosas, observamos tanto grandes benefícios como grandes malefícios em cada uma delas. Todavia, não parece possível proceder a um balanço comparativo destes bens e males de um modo aceitável a fim de estabelecer a superioridade moral da civilização cristã, uma vez que são, no mais das vezes, desproporcionais. Como se pesa os males do sistema indiano de castas ao longo dos séculos em comparação com os males do sistema de classes europeu ao longo dos mesmos séculos? Como se pesa a pobreza de muitos países budistas, hinduístas e muçulmanos se comparada ao uso ganancioso dos recursos não-renováveis da Terra e à destruição egoísta do meio-ambiente levada a cabo por tantos países cristãos? Como se comparam os problemas sociais de Calcutá, de Bangkok ou do Cairo com a pobreza, as drogas, a violência, a criminalidade e o desespero em muitas das nossas periferias? Ou ainda, como se comparam as crueldades de alguns dos regimes orientais com o anti-semitismo virulento da Europa cristã? É fácil, é claro, pinçar algum mal evidente dentro de outra tradição e compará-lo com algum bem manifesto na nossa própria tradição. Este, porém, não é o modo autêntico e leal de proceder. O fato é que, para cada mal que se possa, com muita razão, apontar num outro segmento da história, também é possível, de forma igualmente justificada, apontar para uma característica diferente, porém igualmente repreensível, de nossa própria história. Precisamos ver as religiões mundiais como totalidades religioso-culturais vastas e complexas, que representam, cada uma delas, uma mistura desnorteante dos mais variados aspectos, benéficos e maléficos. E, ao fazermos isso, descobrimos que não há maneira de calibrar objetivamente os valores das respectivas religiões, acrescentando vários pontos para esta característica e tirando outros tantos de uma outra. Somente podemos chegar à conclusão negativa de que não é possível estabelecer a superioridade moral única de qualquer uma das grandes religiões mundiais. Pode ser que, aos olhos de Deus, uma delas tenha efetivamente sido, como realidade histórica, superior às outras.

Mas não sou da opinião de que, a partir do nosso ponto de vista humano, possamos reivindicar a posse desta certeza.

Essa conclusão, apesar de modesta, é de fato extremamente significativa para o argumento que pretendo desenvolver. E, no entanto, nem mesmo este juízo modesto e negativo será aceitável a todos. Tenho certeza de que há muitos que estão convencidos de que os frutos da fé cristã – nas vidas dos cristãos e na história da civilização cristã – são demonstravelmente superiores àqueles de qualquer outra das grandes religiões mundiais; e vale a pena perguntar se acreditam poder estabelecer empiricamente esta convicção em termos de dados históricos e sociológicos, ou se é uma alegação *a priori* que não precisa do apoio de evidências. Eu diria apenas que o ônus da prova recai diretamente sobre qualquer pessoa que venha a reivindicar que os frutos de sua religião na vida humana são manifestamente superiores aos frutos de todas as outras. Por ora, contudo, prosseguirei com base na hipótese de que o suposto tradicional da preeminência moral cristã, apesar de ter raízes profundas, não pode de fato ser comprovado.

O significado disso para uma teologia cristã das religiões é que a falta de superioridade moral observável destoa de nossa teologia tradicional. Nossa teologia tradicional nos diz que Jesus de Nazaré era Deus - mais precisamente, o Deus Filho, a segunda pessoa da Santa Trindade - encarnado; que ele morreu na cruz para remir os pecados do mundo, tornando possível, assim, a salvação; que ele fundou a Igreja cristã a fim de proclamar sua mensagem aos confins da Terra; e que os cristãos, como membros do Corpo de Cristo, são habitados pelo Espírito Santo e alimentados espiritualmente todas as semanas pela graça divina recebida na eucaristia. Uma das implicações disso tudo é a afirmação do cristianismo como a única entre todas as religiões fundada por Deus em pessoa. O cristianismo é, conseqüentemente, a religião do próprio Deus, num sentido em que nenhuma outra pode ser. Não deveria, então, Deus querer que todos os seres humanos aderissem à religião que Deus mesmo veio oferecer ao descer do céu para a Terra? Uma segunda implicação é que aqueles dentre nós que dela fazem parte, que são parte do Corpo de Cristo, vivem numa relação mais próxima com Deus do que aqueles que se acham fora dela. Não deveria, então, haver mais evidências na vida cristã daqueles frutos do Espírito arrolados por São Paulo – tais como "amor, alegria, paz, paciência, bondade, mansidão, fidelidade, suavidade, autocontrole" (Gl 5. 22-3) – do que na vida dos de outras religiões? Se nossa teologia cristã tradicional é verdadeira, certamente deveríamos esperar que estes frutos estivessem presentes mais plenamente nos cristãos em geral do que nos não-cristãos em geral. Naturalmente, não se pode dizer que há justiça em esperar mais, em termos de superioridade moral e espiritual, de um cristão escolhido ao acaso em comparação com qualquer não-cristão também escolhido ao acaso. Esta não seria uma exigência razoável. E contudo, o nível "médio" de qualidade desses frutos certamente deveria ser mais elevado entre os cristãos que entre os não-cristãos. Jesus disse: "Vós os conhecereis pelos seus frutos", perguntando: "Foram as chuvas colhidas de entre os espinhos, ou os figos dos cardos?" (Mt 7.16). Todavia, tenho estado a sugerir que, até onde podemos dizer, estes frutos visíveis não surgem com maior abundância entre cristãos do que entre judeus, muçulmanos, hinduístas, budistas, siques, taoístas e baha'is – e assim por diante. E, não obstante, eles seguramente deveriam se a situação condissesse com o quadro apresentado em nossa teologia cristã tradicional. Logo, sou levado a concluir que esta teologia precisa de revisões, pois não resta dúvida de que a função da teologia é interpretar os fatos corretamente, e não ser um instrumento para ignorá-los ou contradizê-los sistematicamente.

Salvação

Vamos agora examinar novamente a situação a partir de um ângulo um pouco diferente. Concentremo-nos na idéia de salvação, uma idéia que é absolutamente central para o pensamento cristão, tanto em sua versão tradicional quanto em sua versão revisionista. Se definimos a salvação como a perdão e a aceitação por Deus pela morte expiatória de

Jesus, então temos a tautologia de que o cristianismo é o único a saber e ensinar a verdade salvífica, segundo a qual devemos aceitar Jesus como nosso senhor e salvador, confessar sua morte redentora e ingressar na Igreja, entendida como a comunidade dos redimidos, na qual abundam os frutos do Espírito. Todavia, vimos que este círculo de idéias contradiz nossa observação de que os frutos do Espírito parecem ser tão (ou tão pouco) evidentes fora da Igreja quanto dentro dela. Sugiro que deveríamos continuar a seguir a pista fornecida por estes frutos; pois Jesus evidentemente se preocupava mais com a vida dos homens e mulheres do que com qualquer conjunto de proposições teológicas que pudessem ter em suas cabeças.

De fato, em sua parábola das ovelhas e dos cabritos, o critério de julgamento divino é simplesmente este: se demos de comer aos famintos, se acolhemos o estrangeiro, se vestimos os desnudos, e se visitamos os doentes e prisioneiros (Mt 25.31-46) – em outras palavras: se nossas vidas revelaram os frutos do Espírito. Suponhamos, então, que definimos a salvação de um modo bastante concreto, como uma mudança efetiva nos seres humanos, uma mudança que pode ser identificada – quando pode ser definida – por seus frutos morais. Descobrimos, então, que estamos falando de algo que faz parte do interesse central de cada uma das grandes religiões mundiais. Cada uma delas nos chama, a seu próprio modo, a transcender o ponto de vista egóico, que é a fonte de todo egoísmo, cobiça, exploração, crueldade e injustiça, e a nos recentrar naquele mistério último para o qual, em nossa linguagem cristã, usamos o termo "Deus". Devemos ser,, nas palavras (transpostas a uma linguagem inclusiva) da *Theologia Germanica*, para a Eterna Bondade, aquilo que nossas próprias mãos são para nós.[21] Em termos muçulmanos, devemos submeter-nos absolutamente a Deus, cumprindo Sua vontade e encontrando nisso a plenitude de nossa humanidade. Em termos judaicos, devemos viver com alegria e responsabilidade, em concordância com a *Torá* de Deus, aí encontrando,

21. *Theologia Germanica*, cap. 10, trad. Susanna Winkworth, London: Macmillan, 1937, p. 32.

de igual modo, a plenitude de nossa humanidade. Em termos hinduístas, para citar *Radhakrishnan*, "a consciência e a vontade divinas devem tornar-se nossa consciência e vontade. Isto significa que nosso próprio "eu" deve deixar de ser um eu privado; devemos abandonar nossa vontade particular e morrer para o nosso ego ao abandonar, nas mãos do Divino, toda sua natureza, sua consciência e caráter".[22] E em termos budistas, para citar um dos principais expositores contemporâneos do budismo no Ocidente, Masao Abe, "a salvação budista não é (...) outra coisa que um despertar para a realidade através da morte do ego",[23] um despertar que se expressa na compaixão para com toda vida capaz de sensação.

Sem que seja preciso prosseguir mais além nesta direção, penso ter ficado claro que as grandes tradições pós-axiais, inclusive o cristianismo, estão voltadas para uma transformação da existência humana, transformação esta que o leva do autocentramento para um recentramento naquilo que, em nossa inadequada terminologia humana, chamamos Deus, ou Realidade Última, ou Transcendente, ou ainda Real. Entre estas opções, proponho-me a usar o termo "o Real", não por ser este adequado – não há termo adequado –, mas porque é algo costumeiro, na linguagem cristã, pensar acerca de Deus como aquele que é o único finalmente real; e porque o termo também corresponde ao sânscrito *sat*, e ao árabe *al-Haqq*, tendo paralelos ainda em outras línguas. E o que, de várias formas, se denomina de salvação ou libertação ou iluminação ou despertar consiste nesta transformação do autocentramento o centramento-na-Realidade. Com o intuito de ser breve, usarei o termo híbrido "salvação/libertação". Sugiro que esta é a preocupação central de todas as grandes religiões mundiais. Elas não são primariamente filosofias ou teologias, mas antes de tudo caminhos de salvação/libertação. Além do mais, fica claro

22. S. Radhakrishnan, *The Principal Upanishads*, London: Allen & Unwin/New York: Humanities Press, 1969, p. 105. Sir Sarvepalli Radhakrishnan foi professor de Religiões e Éticas Orientais na Universidade de Oxford, e mais tarde Presidente da Índia. São de sua autoria uma série de livros sobre filosofia e religião orientais.

23. Frederick Franck (ed.), *The Buddha Eye*, New York: Crossroad, 1982, p. 153.

que salvação, no sentido de uma mudança real nos seres humanos, que os leva do autocentramento natural a um recentrar-se no Divino, no Último,[24] no Real, é um processo longo - apesar de nele existirem alguns momentos culminantes - que está a acontecer não só no interior do cristianismo, mas também dentro das outras grandes tradições - e isso, pelo que se pode dizer, em escala mais ou menos idêntica.

Agora é chegado o momento de introduzir a familiar distinção tríplice dentro das teologias cristãs da religião, que as classifica como exclusivista, inclusivista e pluralista.[25] Há, naturalmente, muitas variações dentro de cada uma destas, mas a classificação tríplice, quando aplicada tanto a reivindicações de verdade como a pretensões de salvação, parece cobrir todo o leque de opções. Algumas vezes, ouço pessoas dizerem que não se encaixam em nenhuma destas três categorias. Pergunto a elas, então, qual é sua própria teologia das religiões, e invariavelmente acontece ou que não têm nenhuma - de modo a, naturalmente, não exemplificar nenhum dos três tipos –, ou que *têm* uma, que é manifestamente uma variação de uma das três categorias! É claro que se pode dobrar o número de opções acrescentando o qualificativo "possivelmente" a cada uma delas, como fez Schubert Ogden no caso do pluralismo: ele argumenta que, assim como o pluralismo, há também a perspectiva de que o pluralismo é, do ponto de vista cristão, uma possibilidade teológica, uma possibilidade que se pode afirmar sem ter de afirmar que ela está de fato realizada.[26] Isso parece claramente correto. Contudo, não penso que isso possa afetar a distinção tríplice básica; em consonância com isso, continuarei a empregar esta tipologia largamente usada.

---

24. No sentido de supremo, sumo, e definitivo. (N.T.)

25. Esta tipologia usada amplamente apareceu primeiro na forma impressa na obra de Alan Race, *Christians and Religious Pluralism* (London: SCM Press and Maryknoll, New York, 1983, 2nd ed. 1994). Ela foi criticada recentemente por Ian Markham em "Creating Options: Shattering the 'Exclusivist, Inclusivist, and Pluralist' Paradigm", e defendida por Gavin D'Costa em "Creating Confusion: A Response to Markham," ambas in *New Blackfriars* (Janeiro 1993).

26. Schubert Ogden, *Is There Only One True Religion or Are There Many?*, Dallas: Southern Methodist University Press, 1992.

Vamos falar primeiro levando em conta as pretensões de salvação. Nesse ponto, o exclusivismo declara que a salvação limita-se aos cristãos, ou assevera, de modo ainda mais restrito, no dogma católico tradicional, que *extra ecclesiam nulla salus* ("fora da Igreja não há salvação"). Todavia, esta posição exclusivista foi implicitamente repudiada pelo Vaticano II, e de novo pelo Papa João Paulo II na sua primeira encíclica, *Redemptor Hominis*, de 1979, na qual diz que "o homem - todo homem sem qualquer exceção - foi redimido por Cristo, e (...) com cada homem - com cada homem sem qualquer exceção - Cristo está unido de um certo modo, até mesmo quando o homem não está consciente disto" (par. 14). Os únicos exclusivistas da salvação são uns poucos católicos ultraconservadores, seguidores do falecido Arcebispo Lefebvre, que foi excomungado em 1988; e um grupo bem mais numeroso, vociferante e influente de fundamentalistas protestantes. Sua posição é consistente e coerente para aqueles que conseguem crer que Deus imputa a condenação eterna à maior parte da raça humana, que nunca deparou nem aceitou o evangelho cristão. Pessoalmente, veria um tal Deus como o próprio Demônio! Contudo - e mais fundamentalmente -, se entendemos por salvação uma mudança salvífica efetiva nas mulheres e nos homens, então, como tenho estado a recordar, é um fato observável que isso não se restringe nem a algum setor do cristianismo, nem ao cristianismo como um todo. Dada esta concepção muito concreta de salvação/libertação, segue-se que o exclusivismo cristão não é uma opção vivente, e não irei, neste momento, gastar mais tempo com ela.

A posição tomada pelo Vaticano II e pelo Papa na encíclica recém-citada e também pela maioria dos teólogos católicos e protestantes de hoje – nisso diferindo de muitos fundamentalistas – é apropriadamente chamada de "inclusivismo". Tal posição reconhece que o processo salvífico acontece em todo o mundo, dentro de cada uma das grandes religiões mundiais e também fora delas. Ela insiste, porém, que, onde quer que ocorra, é obra de Cristo. Salvação, de acordo com esta perspectiva, depende da morte expiatória de Jesus no Calvário, ainda que seus frutos não se limitem aos cristãos mas estejam disponíveis, em princípio, a todos os seres humanos. Desse modo, pessoas de outras religiões mundiais podem ser incluídas dentro da esfera da salvação cristã. Na famosa expressão de Karl Rahner, podem ser "cristãos anônimos". Muitos "inclusivistas" sentem-se compreensivelmente constrangidos com essa expressão de conotação imperialista; não obstante, sua posição é essencialmente a mesma de Rahner – a saber, que a salvação, quando e onde quer que ocorra, é exclusivamente salvação cristã, de sorte que judeus, muçulmanos, hinduístas, budistas e outros que são salvos, o são, e somente podem sê-lo, por Cristo, quer conheçam, quer desconheçam a fonte da sua salvação.

Este inclusivismo cristão assume duas formas. Uma delas define a salvação em termos tradicionais, sustentando que, para ser salvo, deve-se aceitar Jesus como seu senhor e salvador pessoal, acrescentando, porém, que aqueles que não o encontram nesta vida podem vir a fazê-lo após a morte. Esta opção é cada vez mais favorecida entre os cristãos conservadores, os quais, no entanto, não conseguem aceitar que Deus teria ordenado a perdição eterna da maioria da humanidade por uma falta que não lhe é própria. Um exemplo protestante recente é o de Richard Swinburne em seu livro *Responsibility and Atonement*;[27] e um exemplo católico também recente é o capítulo do Padre J. A. DiNoia intitulado "Christian theology of religions in a prospective vein", em seu livro *The Diversity of Religion*[28] – sendo que o termo "prospectivo"do título significa que os não-cristãos podem receber a salvação na morte ou além dela. Meu único comentário a respeito deste recurso à vida futura é o seguinte: um teólogo que insiste na superioridade única do cristianismo, mas que não pode aceitar que se excluam os não-cristãos da salvação, não tem opção senão dar este passo, embora implique abandonar o ensinamento tradicional de que a graça de Deus em Cristo deve ser aceita na vida presente,

---

27. Richard Swinburne, *Responsibility and Atonement*, Oxford: Clarendon Press, 1992, p. 173.
28. DiNoia, J. A.,*The Diversity of Religion*, Washington: Catholic University of America Press 1992, cap. 3.

e de que a morte exclui a possibilidade de se optar.[29] Assim, não se deveria ocultar o fato de que uma parte da estrutura dogmática está sendo modificada com o intuito de reter a aceitabilidade de uma outra parte, e de que se faz isso, sob a pressão da nossa sensibilidade moderna, com a finalidade de criar espaço para a salvação da maioria não-cristã da humanidade. Para aqueles que definem a salvação em termos exclusivamente cristãos, uma modificação doutrinal deste tipo é inevitável na atualidade; contudo, também pode ser perigosa, a longo prazo, para o dogma que se quer salvar. A nova extensão é análoga aos epiciclos que foram adicionados para preservar a velha astronomia ptolomaica por um pouco mais de tempo antes que finalmente desabasse. Deveríamos dar atenção à advertência de que esses epiciclos teológicos tendem a aparecer nos últimos dias de um dogma agonizante!

A outra forma de "inclusivismo" é compatível com a compreensão mais ampla de salvação como salvação/libertação, como a transformação efetiva de homens e mulheres, e finalmente, por meio deles, das sociedades. Tal forma pode alegremente reconhecer que isto está acontecendo - e em vários graus agora, nesta vida - tanto fora como dentro do cristianismo. Ela insiste, contudo, em que as influências salvíficas da Torá, na vida dos judeus, do Islã, na vida dos muçulmanos, das práticas espirituais hinduístas, na vida dos hindus, do Buddhadharma, na vida dos

29. Desse modo, Santo Agostinho diz, ao afirmar que as crianças não batizadas vão para o inferno: "Se, conseqüentemente [depois de uma longa lista de citações bíblicas, (JH)], como tantas e tais testemunhas divinas concordam, nem a salvação nem a vida eterna podem ser esperadas por qualquer homem sem o batismo e o corpo e sangue do Senhor, é vão prometer estas bênçãos às crianças sem eles". (Cf. *Sobre o perdão dos pecados e o Batismo*, Livro I, cap. 34. In: *The Nicene and Post-Nicene Fathers*, First Series, v. 5, ed. Philip Schaff, Grand Rapids, Mich.: Eerdmans 1956, p. 28.) O Concílio de Florença (1438-45) declarou que toda pessoa fora da Igreja irá para o inferno "a menos que antes do fim da vida ele ou ela seja unido à Igreja" (*Denzinger*, 714). João Calvino escreveu que "a estranha noção de quem pensa que os que não criam na vinda de Cristo foram libertos dos seus pecados após a Sua morte não mais necessita de refutação; porquanto é uma doutrina indubitável da Escritura que nós não obtemos salvação em Cristo exceto pela fé; logo, não há nenhuma esperança para aqueles que continuam a ser não-crentes até a morte" (*Commentary on the Catholic Epistles*, trad. John Owen, Edinburgh: Calvin Society, 1856, p. 113.

budistas e assim por diante devem-se todas, em última instância, à obra salvífica de Cristo, que está operando secretamente dentro de todas estas tradições. Esta é a idéia do Cristo desconhecido do hinduísmo – desconhecido, obviamente, para os hinduístas e, igualmente, para os budistas, e por aí afora. Aqui, Cristo tem de significar não o Jesus de Nazaré histórico, mas o Jesus ressurreto na sua divina glória, agora considerado como Cristo celestial. Como idéia bastante geral, isso soa promissor. Todavia, o problema está em traduzi-la mais precisamente. É necessário demonstrar por que tipo de causalidade invisível a morte salvífica de Jesus, ocorrida por volta do ano 30 da era cristã, operou no sentido de tornar as outras grandes tradições religiosas contextos efetivos da salvação/libertação, aparentemente em pé de igualdade com o cristianismo. Não será suficiente falar da obra do Cristo ressurreto, uma vez que esta começou, presumivelmente, com a ressurreição de Jesus ao redor do ano 30 da era cristã – a menos que se esteja disposto a defender a idéia de uma causalidade que opera retroativamente no tempo para explicar o poder espiritualmente libertador dos ensinamentos do Buddha, há mais ou menos uns quinhentos anos antes, e, de fato, para cobrir os primórdios do hinduísmo e do judaísmo, operando de maneira retroativa no tempo, por mais de mil anos. Mas este seria certamente um atoleiro filosófico no qual poucos desejariam entrar.

A fim de tornar plausível a idéia do Cristo que opera dentro das religiões mundiais, inclusive naquelas que precedem o cristianismo, será necessário deixar de lado a figura histórica de Jesus de Nazaré e sua morte na cruz, e falar, em vez disso, de uma figura de Cristo ou Logos (isto é, a segunda pessoa da Trindade) não-histórico ou supra-histórico. Este teria secretamente inspirado o Buddha e os escritores dos *Upanishads*, Moisés e os grandes profetas hebreus, e também Confúcio, Lao Tsé e Zoroastro antes da era cristã. Isso para não mencionar Muhammad, Guru Nanak, Ramakrishna e muitos outros desde então. Esta figura de Cristo ou Logos, contudo, ao operar antes e, portanto, independentemente da vida e morte históricas de Jesus de Nazaré, torna-se então, com efeito, um nome para a presença e impacto – encontráveis no mundo todo e ao longo de toda história – do Divino, do Transcendente, do Último e do Real na e sobre a vida humana. Em outras palavras: a fim de tornar plausível a idéia de que as grandes religiões mundiais são todas inspiradas e convertidas em fonte de salvação pela mesma influência transcendente, temos de ir além da figura histórica de Jesus, alcançando uma fonte universal de toda transformação salvífica. Os cristãos podem chamá-la de Cristo cósmico ou Logos eterno; hinduístas e budistas, de Dharma; os muçulmanos talvez lhe dêem o nome de Allah; os taoístas podem denominá-la Tao; e assim por diante. E contudo, aquilo de que dispomos, então, já não é (para expressá-lo paradoxalmente) um inclusivismo exclusivamente cristão, mas uma pluralidade de inclusivismos mutuamente inclusivos, pluralidade esta que está próxima do tipo de pluralismo que pretendo recomendar. Estou sugerindo, de fato, que o inclusivismo religioso é uma concepção vaga que, quando é pressionada a aclarar-se, se move na direção do pluralismo. Tentarei, a seguir, indicar quais são as implicações desse pluralismo.

Reivindicações de verdade

Retornemos, porém, por um momento, a algo que apontei antes, a saber, que o esquema tríplice dividido em exclusivismo, inclusivismo e pluralismo pode ser aplicado tanto a pretensões de salvação quanto a reivindicações de verdade. Até aqui examinamos o esquema em termos das pretensões de salvação. O que dizer, porém, das reivindicações de verdade? Pois sem sombra de dúvida dá-se o caso de que as grandes religiões mundiais desenvolveram sistemas de crenças muito distintos. De acordo com alguns deles, o princípio último é pessoal, enquanto que, de acordo com outros, é não-pessoal. Dentre aqueles que falam de um Deus pessoal, o cristianismo ensina que o Deus uno e único é triúno, e que Jesus de Nazaré foi a segunda pessoa desta Trindade que viveu uma vida humana. O judaísmo, por sua vez, ensina que o Deus uno e único não é triúno, mas estritamente unitário, e que os judeus são o povo eleito de Deus, fazendo freqüentes intervenções na sua história na Palestina, no Egito e na Babilônia. Por outro lado, o Islã ensina que o Deus uno e único é unitário, mas revelou a si mesmo de modo direto no Alcorão, intervindo na vida da comunidade muçulmana em Meca e em Medina. Ainda outro exemplo é o do hinduísmo vaishnavita, que crê no Vishnu pessoal, que se tornou encarnado em Krishna e num sem-número de outras figuras terrenas; e o hinduísmo saivita, que crê no divino senhor Shiva, cuja dança cósmica é a vida do universo. E assim por diante. De igual modo, entre as tradições não-teístas, o hinduísmo advaítico fala da consciência universal de Brahman, o qual, nas profundezas do nosso ser, todos somos. Por sua vez, diferentes correntes do budismo falam da natureza universal do Buddha, ou da Dharmakaya, ou do Nirvana, ou ainda do Sunyata; e o taoísmo do Tao eterno de cuja natureza não se pode falar em termos humanos. Há, desse modo, muitas concepções diferentes do Último, do Real; concepções estas relacionadas com formas correspondentemente diferentes de experiência religiosa e com sistemas de credos correspondentemente diversos que daí emergem. Entretanto, se qualquer um destes sistemas de crenças é verdadeiro, no sentido de refletir o Real, não se dá o caso de que todos os outros devem ser falsos, ao menos na medida em que dele diferem? Como escreveu Bertrand Russell: "É evidente, por um princípio de lógica, que, uma vez que [as grandes religiões mundiais] estão em desacordo, não mais do que uma delas pode ser verdadeira".[30] E não obstante, quero agora questionar esta suposição básica de que pode haver no máximo uma religião verdadeira, no sentido de uma religião que ensina uma verdade salvífica sobre o Último e nossa relação com o Último. Pretendo sugerir uma abordagem totalmente diferente, e irei fazê-lo por meio de três analogias.

Considere-se, primeiro, a famosa figura ambígua do pato-coelho proposta pelo psicólogo Jastrow e que Wittgenstein usou na sua discussão sobre "notar um aspecto" ou "ver-como" em suas *Investigações Filosóficas*.

30. Bertrand Russell, *Why I am not a Christian*, London: Allen & Unwin 1957, p. xi.

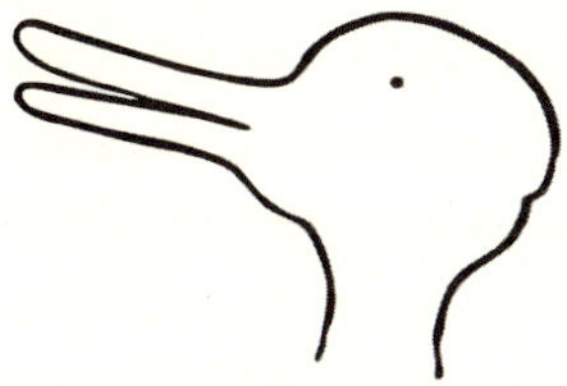

Suponhamos que há uma cultura na qual patos são familiares aos olhos, ao passo que coelhos são totalmente desconhecidos e nunca ninguém nem mesmo ouviu falar deles; e uma outra cultura na qual coelhos são familiares, mas patos completamente desconhecidos. Quando, então, pessoas da cultura que conhece os patos vêem a figura ambígua, irão naturalmente dizer que é a figura de um pato. De fato, bem podem alegar que sabem que isto é o que é; porque, na falta do conceito de coelho, não estão cientes de que a figura é ambígua. E é claro que o inverso ocorre com a cultura que conhece os coelhos. Nesta última, a figura evidentemente representa um coelho, e mais uma vez não há nada de ambíguo nisso. As pessoas destas duas culturas têm pleno direito de afirmar, com a maior convicção, que esta é a figura de um pato, ou de um coelho, dependendo do caso. E cada grupo, quando souber que outro grupo sustenta que a figura é algo completamente diferente e estranho, irá dizer que tal grupo está confuso ou enganado de um modo talvez inexplicável.

Mas Wittgenstein poderia oferecer um relato da situação de acordo com o qual cada grupo está correto no que afirma, ainda que errado ao inferir que o outro grupo está equivocado. Poderia ressaltar que ambos estão corretos em virtude do fato de que o que realmente está lá pode ser visto com igual correção de dois modos bem diversos, como um pato ou como um coelho.

A analogia que sugiro aqui aplica-se ao componente da religião referente à experiência religiosa. E a possibilidade para a qual quero apontar é que a Realidade inefável e última é passível de ser autenticamente experimentada em termos de conjuntos diferentes de conceitos humanos, *como* Javé, *como* a Santa Trindade, *como* Allah, *como* Shiva, *como* Vishnu, e novamente *como* Brahman, *como* o Dharmakaya, *como* o Tao, e assim por diante, sendo que estas diferentes *personae* e *impersonae* ocorrem na interface entre o Real e nossas diferentes mentalidades e culturas religiosas.

Uma segunda analogia pode ajudar a sugerir como isso seria possível. Tal analogia vem da complementaridade de onda e partícula na física. Parece que quando, numa situação experimental, atuamos sobre a luz de uma maneira, acabamos observando a luz como algo que possui propriedades similares às ondas; mas ao atuarmos sobre ela de outra maneira, observamos que possui propriedades similares às partículas. As propriedades observadas em cada caso dependem de como o observador age em relação à luz. Como escreve Ian Barbour, ao descrever o princípio da complementaridade de Niels Bohr, "não se pode estabelecer uma demarcação nítida entre o processo de observação e aquilo que é observado";[31] e cita a interpretação de Henry Folse, que interpreta o princípio de Bohr como princípio que implica uma ontologia. Esta ontologia "caracteriza objetos físicos por seus poderes de aparecer em diferentes manifestações fenomênicas, e não por meio de propriedades determinadas correspondentes àquelas dos objetos fenomênicos, como se afirmava no quadro clássico de referências".[32] A analogia que tenho em mente, neste caso, refere-se a práticas espirituais – orações, formas de meditação, sacramentos, cultos coletivos. Nestas práticas, agimos em relação ao Real. Quanto a isso, sugiro que, se na atividade de oração entre Eu e Tu nos aproximamos do Real como de algo pessoal, segue-se que experimentaremos o Real como uma divindade pessoal. Aquilo de que provavelmente estaremos conscientes será, neste caso, uma personalidade divina específica, envolvida num segmento particular da história humana – a personalidade que escolheu o povo judeu; o Pai celestial de que falavam os ensinamentos de Jesus; ou o ser divino que falou aos povos árabes no Alcorão, e assim sucessivamente. Ou então, se nossa cultura religiosa leva-nos a abrir-nos ao Real em

---

31. Ian Barbour, *Religion in an Age of Science*, v. I, London: SCM Press, New York: Harper & Row 1990, p. 98.
32. Henry Folse, *The Philosophy of Niels Bohr*: The Framework of Complementarity, New York: North Holland, 1985, p. 237, cit. por Barbour, *Religion in an Age of Science*, p. 99.

várias formas de meditação, como o ser-consciência-contentamento não-pessoal e infinito do Brahman, ou como o Dharmakaya eterno, que sempre se expressa na compaixão sem limites dos Buddhas, então este provavelmente será o modo no qual experimentaremos o Real. Transferindo isso para uma linguagem cristã familiar, a revelação é um assunto relacional, que assume formas diversas com relação às pessoas cuja receptividade religiosa foi moldada por diferentes tradições, com seus diferentes conjuntos de conceitos e seus diferentes tipos de prática espiritual.

Uma terceira analogia provém da cartografia. Dado que a Terra é um globo tridimensional, qualquer mapa inscrito numa superfície bidimensional inevitavelmente irá distorcê-la, e há modos diferentes de distorcê-la sistematicamente para servir a diferentes propósitos, incluindo-se nisso, por exemplo, a já familiar projeção cilíndrica inventada por Mercator usada para fazer muitos dos nossos mapas-múndi. Mas não se conclui, daí, que se um tipo de mapa é preciso, os outros devem ser imprecisos. Se são feitos apropriadamente, são todos precisos – e não obstante, em outro sentido, são todos imprecisos, pois que todos inevitavelmente causam distorções. Entretanto, um deles pode ser mais útil para um propósito, e outro para outro – para longas viagens de circunavegação, para viagens mais curtas, para viagens nos trópicos, para viagens na proximidade dos pólos, e assim por diante. A analogia aplica-se, aqui, às teologias, tanto às diferentes teologias da mesma religião, como às teologias e filosofias ainda mais diferentes das diversas religiões. Poderia dar-se o caso de que representações da realidade divina infinita, em nossos termos humanos finitos, sejam, necessariamente, inadequadas de modo mais radical que uma representação bidimensional da Terra tridimensional. E poderia até ocorrer que os mapas conceituais traçados pelas grandes tradições, embora descrições finitas do Infinito, sejam todos confiáveis em grau mais ou menos idêntico dentro de suas diferentes projeções, e úteis em grau mais ou menos idêntico para guiar-nos em nossa jornada pela vida. Isso porque nosso progresso como peregrinos é nossa resposta de vida ao Real. As grandes religiões mundiais nos orientam nesta jornada, e, na medida em que estão – digamos assim – soteriologicamente alinhadas ao Real, seguir sua trilha irá relacionar-nos de modo preciso ao Real, abrindo-nos para aquilo que, em conceptualizações diferentes, chamaremos de graça divina ou iluminação sobrenatural – a qual, por sua vez, produzirá frutos visíveis em nossas vidas.

A resposta pluralista

A hipótese para a qual estas analogias apontam é a de uma Realidade Última e inefável. Ela é a fonte e o fundamento de tudo, e é de tal tipo que, na medida em que as tradições religiosas estão soteriologicamente alinhadas com ela, tornam-se contextos de salvação/libertação. Estas tradições envolvem diferentes concepções humanas do Real, com formas correspondentemente diferentes da experiência do Real, e com formas de vida correspondentemente diferentes em resposta ao Real. Todavia, por que supor que o Real seja em si inefável? Por "inefável" entendo (com uma qualificação a ser mencionada a seguir) aquilo que possui uma natureza que está além do alcance de nossas redes de conceitos humanos. Assim, não se pode propriamente dizer que o Real em si mesmo é pessoal ou impessoal, que tem um propósito ou não, que é bom ou mau, que é substância ou processo, ou mesmo que seja um só ou muitos. E contudo, ao negar, por exemplo, que o Real é pessoal, não se diz com isso que é impessoal, mas sim que esta polaridade conceitual ou esse dualismo a ele não se aplica. E o mesmo sucede aos outros dualismos. Todavia, isto não significa que o Real deva ser postulado como nada, ou vazio, mas sim como uma realidade situada fora do alcance dos sistemas conceituais humanos. Não podemos descrevê-lo como é em si mesmo, mas somente como é pensado e experimentado em termos humanos – na linguagem escolástica tradicional, não *quoad se*, mas sempre *quoad nos*. Conhecido desde o interior de algumas tradições, o Real é pessoal, e desde o interior de outras, é não-pessoal. Mas desde o interior de todas elas, é conhecido, do nosso ponto de vista humano, como bom, benigno ou gracioso; como fundamento de toda transformação humana que conduz do autocentramento infeliz à bem-aventurança. Nesta vida, pensa-se e experimenta-se esta última de várias formas: como uma qualidade eterna de vida, como paz com Deus, como *nirvana*, como *satori*, como *moksha*. E, além desta vida, pensa-se e experimenta-se a bem-aventurança de maneiras que estão bem além de nossa imaginação atual. É claro que – para mencionar um ponto relativamente trivial – dizer que o Real é inefável não significa cometer a imprudência lógica de dizer que absolutamente não o podemos caracterizar, mesmo segundo modos puramente formais; pois já o fizemos ao dizer que é inefável! Significa, isso sim, que não podemos propriamente atribuir-lhe qualidades intrínsecas. Mais uma vez, porém, isto não significa que seja um algo vazio; significa, isto sim, que sua natureza, infinitamente rica em si mesma, não pode ser expressa em nossos conceitos humanos. Tampouco segue-se disso que nada podemos dizer de significante a seu respeito. Pois podemos dizer que o Real é aquilo que deve haver se a experiência religiosa humana não é puramente uma projeção humana, mas, embora sendo algo que envolve projeção, é, ao mesmo tempo, uma resposta a uma Realidade transcendente. A diferença entre haver e não haver uma Realidade Última, concebida e experimentada de várias maneiras por meio das "lentes" das diferentes religiões, é, desse modo, a diferença entre uma interpretação religiosa e naturalista da religião. Houvesse somente uma religião, digamos o cristianismo, uma interpretação religiosa naturalmente identificaria o Real com a Santa Trindade. Mas dado o fato de que há diversas religiões mundiais que parecem estar soteriologicamente mais ou menos em pé de igualdade, uma interpretação religiosa da religião não pode identificar o Real com o objeto intencional de qualquer uma delas em detrimento das outras, e, portanto, tem de apelar para a distinção entre o Real como é em si mesmo e o Real como é variavelmente pensado e experimentado nas diferentes tradições. Essa abordagem assume aquela que, atualmente, é uma concepção bastante difundida, que declara que aquilo que é percebido é sempre parcialmente construído por aquele que percebe. Nossos conceitos participam da formação de nossa percepção. Há muito tempo, Tomás de Aquino enunciou este princípio epistemológico básico ao escrever que "as coisas conhecidas estão no conhecedor de acordo com o modo do conhecedor".[33] Mas a forma específica do conhecedor religioso é formada diferentemente nas diferentes tradições. Decorrem, daí, as diferentes percepções do Real, em torno das quais se desenvolveram estas tradições. Nos tempos modernos, foi Immanuel Kant que argumentou de maneira mais influente em favor da tese de que a percepção não é um registro passivo do que está fora, mas sempre um processo ativo de selecionar, agrupar, relacionar, extrapolar, e dotar de significado por meio de nossos conceitos humanos. Isto o levou a distinguir entre o mundo numênico, o mundo como existe em sua imperceptibilidade, e o mundo fenomênico, aquele mesmo mundo como humanamente percebido, com toda a diferença implicada pelo ato da percepção. O que sugiro é que se aplique esse princípio à nossa percepção do Real, fazendo uma distinção entre o Real numênico, o Real *an sich* (em si), e o Real humanamente percebido de diferentes modos, que configuram um raio de fenômenos divinos. Kant sugeriu que tomamos consciência de nosso ambiente natural em termos de certas categorias que a mente impõe na formação de nossa experiência consciente – por exemplo, as categorias de substância ou coisa, e de causalidade. Pressuponho, por analogia, que tomamos consciência do nosso ambiente sobrenatural em termos de certas categorias que a mente impõe na formação da experiência religiosa. As duas categorias religiosas básicas são a Divindade (o Real como pessoal) e o Absoluto (o Real como não-pessoal). A partir daí, cada uma destas categorias torna-se concreta, ou, na terminologia kantiana, é "esquematizada" – não, porém (como no seu sistema), em termos do tempo abstrato, mas nos termos do tempo da história e da cultura, na condição dos Deuses e dos Absolutos das várias tradições religiosas. Que diferença faz esta hipótese, na medida em que é adotada, para a religião como a conhecemos? Sob certo ponto de vista, pouca; sob outro, muita. Se somos cristãos e aceitamos nossa própria tradição como uma resposta válida, entre outras, ao Real, então deveríamos continuar vivendo de acordo com ela, vivendo em relação àquela "face" do

33. Tomás de Aquino, *Summa Theologiae*, II/II, Q. I, art. 2.

Real que conhecemos como o Pai celeste ensinado por Jesus – ou, se pensamos no cristianismo enquanto tradição teológica desenvolvida, como a Santa Trindade da doutrina posterior da Igreja. E oxalá se tenha começado, nesse contexto propício ao crescimento, a passar pela transformação salvífica que leva do autocentramento natural para uma nova orientação centrada em Deus. E o mesmo, é óbvio, se aplica às pessoas de outras grandes religiões mundiais. Cada tradição irá continuar a existir em sua particularidade concreta enquanto sua própria resposta única ao Real. Conforme diminui o sentimento de rivalidade, todas participarão cada vez mais do diálogo inter-religioso, afetando-se mutuamente, e, em conseqüência de mudanças graduais, cada qual influenciando e sendo influenciada pelas outras. E contudo, nesta interação crescente, cada uma irá manter-se basicamente a mesma. Neste tocante, a hipótese pluralista faz comparativamente pouca diferença para as tradições existentes. Por outro lado, porém, faz uma grande diferença para algumas delas, pois, chegando a entender-se como uma entre várias e diferentes respostas humanas válidas ao Real, cada qual irá gradualmente diminuir a ênfase naquele aspecto de sua doutrina que implica sua própria superioridade singular. Tal aspecto alcançou grande importância dentro de cada tradição, embora seja mais central em algumas que em outras. E modificar – e por fim abandonar – esta reivindicação implícita ou explícita de superioridade única envolverá um desenvolvimento teológico específico em cada caso. Isso será mais fácil para algumas tradições que para outras, e em cada tradição será mais fácil para alguns indivíduos que para outros. Mas as implicações teológicas e não-teológicas desta posição virão à tona em nossas conferências futuras, que, contudo, não serão conferências no sentido costumeiro do termo, mas diálogos com duas personagens que criei. São eles Fil, um filósofo, que apresentará críticas filosóficas ao pluralismo religioso; e Graça, uma teóloga, que apresentará suas críticas teológicas.

II

Críticas pós-modernistas e pretensões conflitantes de verdade

JOÃO: Fil, creio que você fará o papel de advogado do diabo, apresentando as críticas filosóficas que têm sido feitas ao pluralismo religioso.

FIL: Sim, farei o advogado do diabo, ou talvez o de Deus! Isso é algo que cada um terá de decidir por si mesmo.

JOÃO: Está bem. Vá em frente.

Pluralismo como imperialismo intelectual do Ocidente

FIL: Bem! Em primeiro lugar, direi que alguns vêem o pluralismo religioso como um produto do racionalismo pós-iluminista, e alguns autores influenciados por Foucault, Derrida, Habermas, Levinas e Adorno (embora não discutam, eles mesmos, a questão) associam o pluralismo religioso a uma hegemonia capitalista mundial, que se esconde por trás da idéia corrente de "um mundo único". Na verdade, há diversas questões envolvidas; vamos examiná-las uma de cada vez?

JOÃO: Sim, tudo bem.

FIL: Bem, e primeiramente, o pluralismo religioso contemporâneo surgiu e foi apoiado dentro de um contexto histórico, social e político particular; e os pós-modernistas nos advertem a abordar qualquer teoria deste tipo com certa cautela, para verificar se encobre um programa calcado em interesses políticos ou econômicos.

JOÃO: Sim, estou de acordo. Usemos, porém, o senso comum, e não deixemos a "hermenêutica da suspeita" assumir a forma de uma hermenêutica da paranóia! Não devemos excluir *a priori* a possibilidade de que uma teoria abrangente possa ser genuinamente esclarecedora e digna de adoção.

FIL: Talvez sim; mas consideremos, agora, o contexto particular em que surgiu o pluralismo religioso. Os críticos que tenho em mente o vêem como um filho do Iluminismo europeu dos séculos XVII e XVIII, com seu racionalismo universalista.[34] Foi nesse período que os ocidentais começaram a pensar em escala mundial e a considerar a religião genericamente, vendo as religiões históricas particulares como suas diferentes formas. Kant, por exemplo, defendia a idéia de que "existe somente uma (verdadeira) religião; mas podem haver 'fés' [isto é, credos ou 'fés eclesiais' de vários tipos]".[35] Esse é o pano de fundo. Já o pluralismo religioso contemporâneo brotou depois da Segunda Guerra Mundial, quando a hegemonia colonial européia tinha finalmente terminado, e quando surgiu uma consciência geral, ao menos no Ocidente, do mundo como uma única unidade interdependente, com as respectivas imagens de "um só mundo" e de "aldeia global". A compreensão pluralista – que vê a religião como uma série de variações da consciência humana daquilo que, em última análise, é o Real – está indissociavelmente ligada, conforme mostram esses críticos, com essa crescente sensação da unidade subjacente da família humana, que é, ela mesma, uma filha do Iluminismo europeu. Você concordaria com isso?

JOÃO: Bem, é certamente verdade que, durante o Iluminismo, o pensamento ocidental começou, como você diz, a expandir seu campo de visão ao mundo todo. E este é obviamente o pano de fundo histórico dos pluralistas religiosos contemporâneos do Ocidente. Contudo, também

---

34. Por exemplo, John V. Apczynski, John Hick's Theocentrism: Revolutionary or Implicitly Exclusivist?, *Modern Theology*, v. 8, n. 1 (January 1992); e Colin Gunton, in: Hugh Montefiore (ed.), *The Gospel and Contemporary Culture*, London: Mowbray 1992, p. 86s.

35. Immanuel Kant, *Religion Within the Limits of Reason Alone*, trad. Theodore Green e Hoyt Hudson, New York: Harper & Row 1960, p. 98.

é verdade que a idéia das religiões mundiais, entendidas como diferentes respostas à mesma Realidade Última, já ocorrera séculos antes do Iluminismo europeu, e também fora da esfera de sua influência, de sorte que tal idéia não pode simplesmente ser-lhe atribuída.

FIL: Pedirei a você para comprovar isso dentro em pouco. Mas, primeiramente, pergunto: como fica a questão da ligação entre o pluralismo religioso e a idéia contemporânea de "um só mundo"?

JOÃO: Bem, sim, há uma ligação óbvia. O desenvolvimento atual do pluralismo religioso tornou-se possível por meio desta nova consciência global, e também, é claro, pela explosão de informações prontamente disponíveis a respeito das religiões mundiais. O conhecimento moderno sobre o caráter integral da história humana e os entrelaçamentos da história religiosa criaram um ambiente intelectual acolhedor para o pluralismo religioso. Mas e daí? Certamente este não é argumento contra o pluralismo religioso. Seria um argumento válido contra a atual teologia da libertação o fato de ter surgido numa situação de violenta injustiça social na América do Sul? Ou contra a teologia feminista de nosso tempo, o fato de ter surgido numa cultura em que as mulheres são cada vez mais livres para se expressarem e exigir seus direitos? Certamente que não! Novos aspectos da verdade estão vindo à tona o tempo todo, à proporção que novas situações os evocam.

FIL: Mas você concorda que, para bem ou para mal, o pluralismo religioso contemporâneo é o produto da atual tendência global no pensamento humano? Ou, de fato, como certo crítico sugere, do entusiasmo ingenuamente idealista dos anos sessenta?[36] Ou até mesmo, como outro crítico insinua, que o pluralismo religioso brota da cultura de supermercado de nosso tempo – "Numa sociedade que exaltou o indivíduo autônomo como realidade suprema, acostumado à rica variedade oferecida nas prateleiras do supermercado e à liberdade de escolha de nossas marcas preferidas, é muito natural que esta mentalidade viesse a permear

36. Kieran Flanagan, Theological pluralism: A sociological critique, in: Ian Hamnett (ed.), *Religious Pluralism and Unbelief*, London/New York: Routledge, 1990, p. 82-5.

nossa visão da religião. Alguém pode agarrar-se à sua marca preferida e aclamar seus méritos em canção e elogios; mas insistir em que todos os outros deveriam escolher a mesma marca é inaceitável".[37] O que você diz disso?

JOÃO: Certamente o idealismo dos anos sessenta, tanto como os supermercados e a influência homogeneizadora da televisão são aspectos deste mundo no qual o pluralismo religioso tornou-se proeminente. Seria, porém, fantasioso pensar – e provavelmente ninguém pensa assim – que é simplesmente um produto de tais fatores. O pluralismo é um produto de tudo isto em conjunto associado a uma intuição religiosa que é muito mais antiga e difundida. A descoberta central de que as grandes religiões mundiais são respostas diferentes à única e última realidade transcendente ocorre, como acabei de dizer, tanto fora da esfera de influência do Iluminismo europeu como também há séculos antes dele – e muito antes da cultura dos anos sessenta nos EUA e na Europa.

FIL: Por exemplo?

O pluralismo religioso pré-moderno

JOÃO: Bem, para começar com um contemporâneo não-ocidental, cito as palavras do Dalai Lama: "Defendo a idéia de que cada uma das grandes religiões do mundo – budismo, cristianismo, confucionismo, hinduísmo, islamismo, jainismo, judaísmo, siquismo, taoísmo, zoroastrismo – contém idéias semelhantes de amor, o mesmo objetivo de beneficiar a humanidade por meio da prática espiritual e os mesmos efeitos de fazer de seus seguidores melhores seres humanos (...). As diferenças de dogma podem ser atribuídas às diferenças de período e de circunstâncias, bem como a influências culturais".[38] E há apenas uma geração, o grande ativista social e político hindu Mahatma Gandhi acreditava que o pluralismo religioso não somente era verdadeiro, mas configurava,

---

37. Lesslie Newbigin, *The Gospel in a Pluralist Society*, Grand Rapids, Mich./Geneva: Eerdmans/ WCC Publications, 1989, p. 168.

38. Dalai Lama, *A Human Approach to World Peace*, Boston: Wisdom Publications, 1984, p. 13.

também, uma base necessária para a paz tanto na Índia multirreligiosa como no mundo multirreligioso. Ele disse: "Nenhuma fé é perfeita. Todas as religiões são igualmente caras a seus respectivos devotos. O que se requer, portanto, é um contato vivo e amigável entre os seguidores das grandes religiões do mundo, e não um conflito entre eles, obra da tentativa infrutífera, da parte de cada comunidade, de mostrar a superioridade da sua fé em detrimento do resto das religiões. (...) Hindus, muçulmanos, cristãos, zoroastristas, judeus são rótulos convenientes. Mas quando os demolimos, não sei qual é qual. Somos todos filhos e filhas do mesmo Deus".[39]

FIL: Sim, mas é claro que tanto Gandhi como o Dalai Lama, apesar de serem orientais, pertencem ao nosso mundo moderno e foram profundamente influenciados por ele.

JOÃO: Sim, é verdade. O Dalai Lama, contudo, condiz com a mesma tradição do imperador budista Ashoka, do século III d.C., o qual, ao invés de impor sua própria fé ao império, como era de praxe com os soberanos do mundo antigo, procurou encorajar igualmente todas as religiões do império, insistindo que cada uma enxergasse o que há de bom nas outras. Por trás de Gandhi, encontra-se uma perspectiva religiosa pluralista muito antiga na Índia. Os Vedas ensinam que "o Real (*sat*) é Um, mas os sábios o nomeiam diversamente".[40] E no *Bhagavad Gita*, o Senhor Krishna diz: "Qualquer que seja o modo no qual os homens se aproximam de mim, é nesse mesmo modo que os aceito".[41] Desde sua juventude, Gandhi também foi influenciado pelo ensinamento jainista da *anekantavada*, que fala da verdade que tem muitas faces. E voltando ainda mais na história indiana, no século XV, deparamos com uma perspectiva admiravelmente pluralista na Índia setentrional. Guru Nanak, fundador da tradição sique, iniciou sua trajetória profética com um período de silêncio do qual emergiu para

39. Mahatma K. Gandhi, *What Jesus Means to Me*, (ed. R. K. Prabhu), Ahmedabad: Navajivan Publishing House, 1959, p. 23, 31.

40. *Rig-Veda*, I, 164, 46.

41. IV, II, trad. por Radhakrishnan.

proclamar que não existem hindus e nem muçulmanos, porquanto todos os verdadeiros adoradores de Deus formam uma só unidade. E as escrituras siques, a Adi Granth, compiladas mais tarde, incluem não só os escritos dos gurus siques mais antigos, mas também passagens de santos hindus e muçulmanos. Um dos não-siques nelas incluído foi Kabir, do século XV, igualmente reverenciado por muçulmanos e hindus. Ele ensinou que Deus está além de toda forma, mas que o "Deus sem forma adota mil formas aos olhos de Suas criaturas"; e que "Brahman molda Sua linguagem à compreensão do Seu ouvinte"; afirmou, além disso: "Se Deus está dentro da mesquita, então a quem pertence este mundo? Se Ram está dentro da imagem que encontras em tua peregrinação, então quem está lá para saber o que acontece fora dessa imagem? Hari está no Oriente: Allah está no Ocidente. Olha dentro de teu coração, pois ali irás encontrar tanto Al-Karim como Ram; todos os homens e as mulheres do mundo são Suas formas viventes".[42]

FIL: De fato. Embora eu aponte que todos estes ensinamentos são de fontes hindus, ao menos no sentido amplo segundo o qual se poderia dizer que "hindu" simplesmente significa "procedente da Índia".

JOÃO: É verdade. Ainda mais cedo, porém, nos séculos XIII e XIV, os sufis do Islã já ensinavam que a luz divina é refratada por muitas lentes humanas. Deste modo, Ibn al-Arabî aconselhava: "Não se apegue exclusivamente a qualquer credo particular, de modo a descrer em todo o resto. (...) Deus, o Onipresente e Onipotente, não se deixa limitar a um credo, pois Ele diz: "Para onde quer que te voltes, lá está a face de Allah" (Alcorão, 2: 115)".[43] Al-Junaid ensinava que as formas que a religião adquire dependem de fatores culturais diferentes, dizendo que a cor que a água parece ter é aquela de seu recipiente. Sobre este dito, Ibn al-Arabî comenta: "Se se entende verdadeiramente o que Al-Junaid diz em relação a cor da água ser a cor de seu recipiente, permite-se a cada crente a sua crença, e reconhece-

42. *Songs of Kabir*, trad. por Rabindranath Tagore, New York: Samuel Weiser, 1977, p. 75, 92, 112.

43. Ibn al-Arabî, *The Bezels of Wisdom*, p. 283.

se Deus em cada uma de suas formas e em toda e cada crença".[44] E um outro grande sufi, Jalal ud-Din Rumi, escreveu no século XIII:

> Pureza e impureza, indolência e diligência no culto,
> Estas coisas nada significam para Mim.
> Estou apartado de tudo isso.
> Formas de adoração não devem ser classificadas como
> melhores ou piores que outras.
>
> Hindus fazem coisas hindus.
> Os muçulmanos dravidianos na Índia fazem o que fazem.
> Tudo é louvor, e tudo está certo.
>
> Não sou Eu que sou glorificado em atos de adoração,
> São os adoradores! Eu não ouço as palavras
> que eles dizem. Eu olho para dentro, para a humildade.[45]

De fato, provavelmente não há ressonância melhor para a perspectiva pluralista que as palavras de Rumi sobre as religiões do seu tempo: "As lâmpadas são diferentes, mas a Luz é a mesma".[46] E no Ocidente, no século XV, Nicolau de Cusa, em seu livro sobre a paz entre as religiões (*De Pacis Fidei*), afirmava haver "uma só religião na variedade dos ritos".[47] De volta à Índia, temos um outro exemplo do século XVI, quando o grande imperador mongol Akbar tratou a pluralidade de religiões em seu império com o mesmo espírito ecumênico que demonstrara Ashoka no século III. Numa trilha paralela, desta vez no Ocidente, o quacre dos primórdios William Penn (fundador da Pensilvânia) escreveu que "as almas humildes, gentis, misericordiosas, justas, piedosas e devotas pertencem

44. R. A. Nicholson, (ed.), *Eastern Poetry and Prose*, Cambridge: Cambridge University Press, 1992, p. 148.

45. Citado em Karen Armstrong, *A History of God*, London: Heinemann (Mandarin) 1993, p. 278.

46. *Rumi: Poet and Mystic*, trad. R. A. Nicholson, London/Boston: Unwin's Mandala Books, 1978, p. 166.

47. *Nicolas of Cusa on Interreligious Harmony*, trad. James E. Biechler, Lawrence Bond, Lewiston, N. Y.: The Edwin Mellen Press, 1990, p. 7.

em toda parte a uma só religião; e quando a morte tiver tirado as máscaras, elas se conhecerão mutuamente, embora as roupas de mergulho que usam aqui as tornem estranhas umas as outras".[48] Conclui-se, enfaticamente, que não é o caso de dizer que a visão religiosa pluralista seria um produto da cultura ocidental moderna. O que é verdade, porém, é que muitos de nós, no Ocidente atual, e não somente no Ocidente, estamos tentando desenvolver esta percepção e descoberta ancestrais sob o ímpeto da nossa consciência global distintivamente moderna, munidos das ferramentas dos estudos epistemológicos e religiosos de nosso tempo.

A crítica pós-modernista

FIL: De acordo: a idéia pluralista tem raízes antigas. Mas agora passemos à crítica política. Esta vem travestida do típico pós-modernismo daqueles que vêem o pluralismo religioso como uma "ideologia" dotada de uma "cosmologia política"[49] subjacente; esta seria de tal tipo que, "de maneira desavergonhada, reforça a privatização da vida na sociedade capitalista avançada".[50] Segundo esta acusação, o pluralismo religioso é parte de uma nova forma de imperialismo cultural ocidental, que promove o que outro escritor chama de "o mito humanista-imperial ambíguo acerca de nossos atributos humanos compartilhados".[51] "Não é", sugere o escritor, "mera coincidência o fato de as teologias 'globais' terem aparecido precisamente no momento histórico em que o capitalismo entra em seu estágio multinacional".[52] De fato, o autor acredita que o pluralismo

48. William Penn, *Some Fruits of Solitude* (1718), London: Constable, 1926, p. 99-100.

49. Kenneth Surin, Towards a "Materialist" Critique of "Religious Pluralism:" A Polemical Examination of the Discourse of John Hick and Wilfred Cantwell Smith, *The Thomist*, v. 53, n. 4 out. 1989, p. 667. O artigo foi reimpresso em Ian Hamnett, (ed.), *Religious Pluralism and Unbelief*, op. cit.

50. Kenneth Surin, ibid., p. 669.

51. Surin, ibid., p. 93, n. 2, citando S. H. Mohanty, Us and Them: On the Philosophical Bases of Political Criticism, *The Yale Journal of Criticism*, v. 2, 1989, p. 13. Veja também John Milbank, The End of Dialogue, in: Gavin D'Costa (ed.), *Christian Uniqueness Reconsidered*, Maryknoll, N. Y.: Orbis, 1990.

52. Surin, ibid., p. 665-6.

religioso exista numa relação de "complexa cumplicidade" com "a ideologia capitalista global".[53]

JOÃO: Sim, este ataque 'pós-modernista' me é familiar – ainda que, pessoalmente, eu não seja muito favorável ao uso do termo 'pós-moderno', por significar tantas coisas diferentes para pessoas diferentes. De fato, tão grande é sua abrangência de significados que eu mesmo fui criticado por um escritor evangelical[54] de ser um pós-modernista[55] – o que talvez seja ainda pior que ser atacado pelos pós-modernistas!

FIL: Todavia, a crítica a que me refiro aponta para algo real. Refiro-me ao que muitos descrevem como a 'americanização' do mundo, ao ver os Estados Unidos de hoje como o principal representante de um modo de vida que está rapidamente envolvendo o globo, transmitido pelo rádio e pela televisão, sendo manifestado numa cultura que se afirma cada vez mais universal, expressa na música popular, no vestuário, nas telenovelas que se vê em toda a parte, e assim por diante. Por trás disto, porém, jaz o poder explorador das corporações multinacionais e das agências internacionais, e os meios de comunicação de massa com abrangência mundial, que apresentam o McDonald's como o símbolo desta nova cultura global. Intencionalmente ou não, a americanização está solapando e destruindo estilos de vida tradicionais, nivelando todos a um tipo de "panqueca cultural",

---

53. Kenneth Surin, A Certain "Politics of Speech": "Religious Pluralism" in the Age of the McDonald's Hamburger, *Modern Theology*, v. 7, n. 1, out. 1990, p. 95, n. 15. O artigo foi reimpresso, numa forma variada que omite essa sentença particular, em Gavin D'Costa (ed.), *Christian Uniqueness Reconsidered*, op. cit.

54. Optamos pelo neologismo "evangelical" devido ao fato de que a palavra "evangélico" adquire várias acepções diferentes no decorrer da história do protestantismo. O sentido aqui pretendido pelo autor pode ser auscultado particularmente a partir de duas acepções registradas no *The American Heritage Dictionary*, 3ª ed. (Houghton Mifflin, 1992): "3. Of, relating to, or being a Christian church believing in the sole authority and inerrancy of the Bible, in salvation only through regeneration, and in a spiritually transformed personal life. (...) 5. Of or relating to the group in the Church of England that stresses personal conversion and salvation by faith." Como, por razões religiosas e culturais, todo seu leque de acepções não chega a ser discernido pelo ouvido brasileiro mediano, o uso da palavra "evangélico" sugere uma simplória univocidade, fixada, do ponto de vista político e sociológico, no firmamento daquele que costuma designar-se "campo religioso". (N.T.)

55. Robert Cook, Postmodernism, pluralism and John Hick, *Themelios*, v. 19, n. 1, out. 1993.

produzida e controlada pelas grandes corporações multinacionais. E estes críticos sustentam que o ecumenismo mundial, apoiado por você e seus colegas, é um aspecto deste ataque às diferenças da cultura humana, às suas particularidades concretas, às tradições locais, ataque que ocorre pela anulação das diferenças entre as religiões. O que você acha?

JOÃO: Bem, trata-se de uma "culpa" derivada de um argumento por associação, ou não? O pluralismo religioso, com sua perspectiva global, tornou-se proeminente no período em que as multinacionais governam grande parte do mundo em proveito próprio, promovendo a "cultura universal do hambúrguer"; também o pluralismo religioso possui um alcance global; e assim, condenar os males da influência das multinacionais significa, ao mesmo tempo, condenar o pluralismo religioso! Parece ser esta a direção de tal pensamento. Mas será este lógico ou justo? O pluralismo religioso atual é parte do mesmo mundo do capitalismo multinacional; mas certamente não se conclui, disso, que o pluralismo religioso é um aliado do capitalismo internacional e seus efeitos repressivos universalizantes.

FIL: Então a ideologia de uma economia mundial única dominada pelo capitalismo internacional e a idéia segundo a qual as diferentes religiões mundiais são respostas a uma mesma realidade divina última não têm nada em comum?

JOÃO: Não foi isso que eu disse. Elas têm em comum nossa consciência global contemporânea. E também é verdade que todos nós, na América do Norte e na Europa, temos parte na responsabilidade geral pela injusta e perigosa divisão do mundo entre um Primeiro Mundo de minorias ricas e um Terceiro Mundo, ou um mundo dos dois terços, de maiorias pobres e, freqüentemente, miseravelmente pobres. Mas esta cumplicidade ocidental geral na injustiça econômica de nosso mundo aplica-se, de maneira imparcial, aos exclusivistas, inclusivistas e pluralistas religiosos, e também aos pós-modernistas e a todas as outras pessoas de nossas sociedades, incluindo até mesmo aqueles que trabalham pela paz mundial ou contra o racismo e contra a injusta divisão econômica entre Norte e Sul. Um pós-modernista ocidental e um pluralista religioso ocidental podem estar igualmente conscientes dos males da hegemonia internacional das instituições financeiras, e não obstante podem igualmente ser parte do mundo que ela produziu. Mas usar isso como um argumento dirigido especificamente contra o pluralismo religioso é, com toda certeza, simplesmente injusto e logicamente insustentável.

Pluralismo como homogeneização

FIL: Dito desse modo, parece que sim. Mas talvez a acusação central seja a de que o pluralismo religioso ignora ou desconsidera as diferenças concretas entre as tradições, homogeneizando-as numa falsa unidade. Um tema importante de alguns dos autores pós-modernos é seu ataque a todo pensamento "totalizador" que venha a forçar o mundo complexo e variado a adaptar-se a um esquema conceitual único. Esse pensamento formula uma metanarrativa global que subordina todas as narrativas individuais e comunitárias, solapando, desse modo, a "alteridade", e eliminando a característica "outra" do Outro. E os críticos aplicam esta tese ao pluralismo religioso, dizendo que ele "totaliza" o âmbito religioso, suprimindo a alteridade mútua das religiões. "O pluralismo religioso", diz um autor, "é um esquema histórico abrangente e homogeneizador que assimila a si mesmo, e com isso subjuga e domestica as práticas e crenças das diferentes tradições religiosas."[56] Na mesma linha, ele diz que o pluralismo religioso está "efetivamente a serviço da decomposição ou obscurecimento da particularidade histórica radical que é constitutiva do verdadeiramente 'outro'. Instrumento de um certo barbarismo cristão que presume sua 'superioridade' a fim de justificar a eliminação ou a conquista do 'outro' não-cristão, esse 'pluralismo' em forma de monólogo domestica e assimila o 'outro' – qualquer 'outro' – sedativa mas cruelmente sob o nome de 'ecumenismo mundial'."[57]

56. Kenneth Surin, Towards a "Materialist" Critique, p. 666.

57. Kenneth Surin, A Certain "Politics of Speech", p. 77.

Logo, a acusação fundamental é que o pluralismo religioso apresenta um relato das grandes religiões mundiais significativamente diferente daquela que cada uma oferece de si mesma. Isso porque, ao ver as grandes tradições como diferentes respostas à mesma Realidade Última, o pluralismo desconsidera suas diferenças, alegando que estas se devem a fatores humanos arraigados nas diferentes culturas da Terra. Mas não seria isto um ato de subordiná-las a uma teoria geral que nega o caráter concreto de cada uma e considera seus ensinamentos específicos como símbolos e mitos humanos?

E na verdade, num nível ainda mais fundamental, não é fato que pluralismo religioso assume que todas as religiões estão tentando responder à mesma pergunta, ao passo que, na realidade, cada uma delas está a fazer sua própria e diferente pergunta? Considere-se o seguinte exemplo: a pergunta central do judaísmo, a saber, "como podemos manter uma vida santa?", não parece visar um alvo bem diferente da pergunta comparativamente central do budismo theravada, a saber, "como posso desatar o nó do sofrimento?"[58]

JOÃO: Sim, é verdade que as religiões fazem perguntas diferentes. E contudo, pretendo sugerir que estas perguntas, embora sejam especificamente diferentes, são genericamente as mesmas. Todas pressupõem uma profunda deficiência no presente e a possibilidade de um futuro radicalmente melhor; e todas são respostas à pergunta que indaga como passar de um estado a outro. Na linguagem cristã tradicional, todas são maneiras de perguntar "o que devo fazer para ser salvo?".

FIL: Ainda assim, você parece enquadrá-las todas num padrão comum, que é dado pela sua própria teoria, mas que não brota a partir do que cada uma delas realmente diz.

58. Steven G. Smith, Bowl climbing: The logic of religious question rivalry, *International Journal for Philosophy of Religion*, v. 36, n. 1, ago. 1994, p. 27.

Deixar as religiões como estão?

JOÃO: Concordo que temos aqui uma questão legítima. Antes, porém, gostaria de fazer uma colocação geral a fim de descartar uma concepção errônea. A idéia de que cada uma das grandes religiões mundiais é uma resposta ao que em última análise é o Real, e que cada uma delas é um contexto da salvação humana, não significa que são todas a mesma coisa, ou que todas dizem a mesma coisa,[59] ou que seguem as mesmas práticas espirituais, ou ainda que têm códigos morais e estilos de vida culturais idênticos. Muito ao contrário: o pluralismo religioso as vê como totalidades diferentes, por vezes muito diferentes, que consistem de maneiras distintas de conceber e experimentar o Real. E o resultado prático disso não é que deveria haver uma nova religião global, a mesma para todas as pessoas, mas que os adeptos de cada uma das religiões mundiais existentes deveriam responder tão plenamente quanto possível ao Real, ao Último, cada qual a seu próprio modo, por meio de uma vivência devota da sua própria tradição. Neste ponto, portanto, o pluralismo religioso deixa as diferentes tradições exatamente como são: reconhecidas, respeitadas e afirmadas como contextos autênticos de salvação/libertação, cada qual com seu respectivo caráter único e com suas particularidades históricas.

FIL: Mas, ao que parece, não com suas próprias crenças. Pois você nega algumas das doutrinas essenciais de cada uma delas – por exemplo, a afirmação cristã de que Jesus foi Deus encarnado, e as pretensões dos místicos budistas e hinduístas de ter uma experiência direta e não mediada da Realidade Última, uma experiência que não é afetada pelas idéias de sua própria tradição. Ou não as nega? Você diz que a primeira afirmação é uma metáfora do significado de Jesus para os cristãos, sendo Jesus entendido como aquele que tornou Deus real para nós; e que a última tem de ser qualificada a partir do fato de que os místicos de tradições

59. Como foi dito, por exemplo, por Alister McGrath, A Particularist Approach, in: Dennis Ockham, Timothy Phillips (eds.), *More Than One Way?*, Grand Rapids, Mich.: Zondervan, 1995.

diferentes produzem relatos diferentes e incompatíveis sobre a Realidade Última. Mas nesse caso parece que, como um crítico afirma, "você pode acomodar doutrinas incômodas reinterpretando-as a fim de eliminar os elementos problemáticos; mas o preço de tal procedimento é que as doutrinas assim reinterpretadas têm poucas semelhanças com as doutrinas defendidas pelas respectivas tradições".[60] Estou certo?

JOÃO: Sim e não. Por um lado, o pluralismo religioso deixa os diferentes sistemas doutrinais intactos dentro de suas próprias tradições religiosas; mas, por outro, propõe uma metateoria segundo a qual estas tradições, enquanto totalidades complexas, são diferentes respostas humanas ao Real.[61]

FIL: Mas dentro de sua metateoria, chamada de "hipótese pluralista", os diversos sistemas doutrinais são rebaixados da condição de reivindicações de verdade universais e absolutas, mas conflitantes, à condição de verdades locais válidas somente dentro de uma dada tradição.

JOÃO: Sim, isso de fato ocorre quanto às suas particularidades em conflito. Lembremos, porém, do problema básico que estamos tentando resolver. Não mais do que um desses sistemas de crenças rivais poderia ser finalmente e universalmente verdadeiro, e, não obstante, as tradições em tais sistemas operam, quando julgadas por seus frutos, parecem ser respostas mais ou menos igualmente válidas ao Real. Ora, a distinção entre o Real em si mesmo e o Real diversamente pensado e experimentado em termos humanos capacita-nos a entender como isso é possível: a saber, os diferentes sistemas de crenças são crenças acerca de diferentes manifestações do Real. Tais crenças não são mutuamente conflitantes, pois dizem respeito a diferentes realidades fenomênicas. É neste sentido que são reduzidas ou "rebaixadas" quanto a seu alcance.

---

60. Harold Netland, Professor Hick on Religious Pluralism, *Religious Studies*, v. 22, n. 3, jun. 1986, p. 256. Ver também, de Netland, *Dissonant Voices:* Religious Pluralism and the Question of Truth, Grand Rapids, Mich.: Eerdmans/Leicester: Apollos, 1991, p. 221-33.

61. Esse ponto foi bem desenvolvido por Sumner B. Twiss, The Philosophy of Religious Pluralism: A Critical Appraisal of Hick and His Critics, *The Journal of Religion*, v. 70, n. 4, oct. 1990.

FIL: Essa é uma reinterpretação muito radical, não é mesmo?

JOÃO: Sim; mas realmente temos de fazer uma escolha entre um absolutismo de uma só tradição e uma interpretação genuinamente pluralista da situação religiosa global.

FIL: Minha suspeita é que, confrontados com esta escolha, a maior parte dos crentes das diferentes tradições irá optar pela verdade absoluta de sua própria tradição. Retomando a idéia de deixar os diferentes sistemas de crenças intactos dentro de suas respectivas tradições: você não quer, porém, em sua condição de teólogo cristão, revisar nosso sistema tradicional de doutrina. Estou certo?

JOÃO: Sim, e você também está correto ao subentender uma distinção entre a obra de um teólogo, que é interna a uma tradição particular, e a obra de um filósofo da religião. Muito embora a filosofia da religião no Ocidente, na prática, significasse, até muito recentemente, a filosofia da religião cristã - ou, em sentido mais amplo, da tradição judaico-cristã -, seu objeto de estudo é propriamente a religião em toda a sua variedade de formas ao redor do mundo e ao longo da história. É claro que, de fato, a moderna explosão do conhecimento é grande demais para que qualquer pessoa tenha domínio sobre tudo, e a maioria dos filósofos da religião que reconhecem o escopo global de seu objeto de estudo tem de se contentar em tomar conhecimento daquelas que comumente são chamadas de "grandes religiões mundiais".

FIL: Conclui-se, então, que na condição de filósofo da religião nas segundas, terças e quartas-feiras você propõe a hipótese pluralista, e como teólogo cristão nas quintas, sextas e sábados - e, presumivelmente, sobretudo nos domingos - você faz o quê?

JOÃO: Como um teólogo que, nos primeiros dias da semana, aceitou a hipótese pluralista, tento contribuir para o contínuo desenvolvimento do pensamento cristão à luz do nosso conhecimento do mundo religioso mais abrangente. Afinal, desde os primórdios, o sistema de crenças cristão vem mudando todo o tempo, às vezes lentamente, outras rapidamente, em resposta à marcha dos acontecimentos no conhecimento e na experiência humanos. Ocasionalmente ocorre uma mudança de maiores proporções, uma "mudança de paradigma", como por exemplo na resposta ocorrida no século XIX à teoria evolucionista e ao estudo crítico da Bíblia. Estou convicto de que uma mudança igualmente importante é necessária hoje em dia, em resposta à nossa nova percepção das outras religiões mundiais.

FIL: Bem, deixarei esse assunto para a Graça discutir com você mais tarde. Porém, e colocando de lado seus sistemas de crença, você pensa que as religiões estão todas bem e em boa forma assim como são? Não seria necessário fazer algumas distinções críticas?[62]

JOÃO: Bem, temo que não possamos dizer isso. Primeiramente, porque de modo algum todo e qualquer movimento religioso – no sentido amplo, de "semelhança de família", do termo "religioso" – é salvífico: certamente não o nazismo, ou o satanismo, ou os fenômenos Jim Jones ou os Davidianos de Waco, por exemplo. Em segundo lugar, o fato de as grandes religiões mundiais serem contextos de salvação/libertação não significa que sejam contextos perfeitos, ou que cada aspecto delas seja igualmente salvífico ou mesmo salvífico por definição. Existem elementos dentro de cada uma das grandes religiões mundiais que têm pouco ou nenhum valor religioso, ou que até mesmo trabalham diretamente contra a transformação salvífica. Cada uma das religiões mundiais foi responsável por grandes males, bem como por grandes benefícios. Seus absolutismos exclusivistas criaram conflitos comunitários e têm sido usados seja para validar a guerra, seja para intensificar sua selvageria. Não é verdade que cada um dos lados invocou, praticamente em todas as guerras, o nome de Deus? De igual modo, algumas crenças religiosas levaram a práticas nocivas, inclusive ao sacrifício humano, à repressão

62. Como, por exemplo, a seguinte: "A abordagem pluralista representada em *The Myth of Christian Uniqueness* parece, no geral, advocar a aceitação de todas as religiões nos seus próprios termos, sem discriminar entre os espíritos existentes dentro das mesmas", apresentada por M. M. Thomas, in: *Christian Uniqueness Reconsidered*, op. cit., p. 57. Ou: "A rejeição de Hick em assumir uma posição valorativa em relação a outras religiões". Cf. Alister McGrath, "The Challenge of Pluralism for the Contemporary Christian Church", in: *The Challenge of Religious Pluralism*. Wheaton, Ill.: Wheaton College, 1992, p. 240.

das mulheres, ao extermínio étnico, à tortura de "hereges" e "bruxas", à oposição ao planejamento familiar e à discriminação de homossexuais. O dogmatismo levou ao controle do pensamento e à perseguição de dissidentes e inovadores no campo das idéias. A exploração e a escravidão foram justificadas religiosamente. Logo, o fato de uma religião ser, enquanto totalidade, em certa e importante medida, um contexto de salvação/libertação não significa que ficamos privados do espaço para o discernimento, a crítica e, às vezes, a aberta condenação. Todavia, tais críticas, quer se dirijam à nossa própria tradição ou a de outros, deveriam ser sempre específicas, direcionadas a acontecimentos, indivíduos e situações particulares, e ter por meta a sua correção.

O pluralismo contradiz a compreensão que cada religião tem de si mesma

FIL: Está bem; mas devemos voltar mais tarde à questão dos critérios. Para permanecermos, por ora, em nossa pergunta inicial, vejamos: não está claro que o pluralismo religioso atribui um status às várias tradições e aos seus ensinamentos diferente daquele que elas mesmas se atribuem? Para dar ainda mais força a este ponto, e usando as palavras de um crítico: "É curioso que aqueles que querem um melhor relacionamento entre as religiões e estão prontos a abandonar pretensões exclusivistas acabem inadvertidamente desrespeitando a integridade das diferentes tradições juntamente com a seriedade e o caráter absoluto de suas afirmações, erigindo, deste modo, um novo exclusivismo".[63]

JOÃO: Sim, sou obrigado a concordar que, num certo sentido, o pluralismo religioso atribui, como você diz, um outro status às várias tradições e aos seus ensinamentos, que difere daquele que elas mesmas se atribuem. Mas o que pretendo argumentar é que, à medida que isso ocorre, isso é uma virtude, e não um vício.

63. Gavin D'Costa, Whose Objectivity? Which Neutrality? The Doomed Quest for a Neutral Vantage Point from which to Judge Religions, *Religious Studies*, v. 29, n. 1, mar. 1993, p. 94.

FIL: Mas como? Tomemos, primeiramente, as concepções do que é Real em sentido último – como a Santa Trindade para o cristianismo, ou como Allah para o islamismo, ou Brahman para as religiões da Índia, e assim por diante. Você tem sido interpretado no seguinte sentido: que você afirma, por exemplo, que o termo cristão "Deus" e o termo budista "Vazio" (*sunyata*), bem como o termo hindu "Brahman", e assim sucessivamente, são todos nomes diversos para o mesmo referente. Confere o que estou dizendo?

JOÃO: Não, de modo algum! Como acabei de dizer, em meu modo de ver, cada um destes nomes refere-se a uma diferente pessoa ou "não-pessoa" do Real. Estes diferentes focos de culto e meditação não são idênticos ao Real em si mesmo, mas são o Real assim como é humanamente retratado de diferentes formas. Usando a analogia kantiana, são manifestações fenomênicas do Real-em-si-mesmo numênico.

FIL: E você diz que cada um destes focos é parcialmente uma projeção humana, na condição de produto combinado da presença universal do Real e de um esquema conceptual humano e particular acompanhado de suas respectivas práticas espirituais?

JOÃO: Sim, justamente.

FIL: Mas, seja dito de passagem, como uma leve digressão neste ponto de nossa conversa: alguns autores andaram se queixando; dizem que você usa Kant de modo bastante descuidado, e que a filosofia kantiana é bem mais complexa do que se poderia pensar e inferir daquilo que você diz.[64]

JOÃO: Mas isso é lógico. Estou usando, aqui, somente um aspecto de seu vasto *corpus*, e aplicando-o à epistemologia da religião. Tampouco estou dizendo que o próprio Kant teria aprovado meu uso. Ele partia de uma epistemologia religiosa diferente, segundo a qual Deus é um postulado necessário da razão prática. Contudo, foi sobretudo Kant que deixou claro que a mente humana é sempre ativa na percepção e sempre

64. Por exemplo, em Paul Eddy, Religious Pluralism and the Divine: Another Look at John Hick's Neo-Kantian Proposal, *Religious Studies*, v. 30, n. 4, dez. 1994, p. 473-8.

desempenha um papel criativo em nossa percepção do ambiente físico. Estou sugerindo que isso também é verdade com relação ao nosso ambiente divino último. Mas existe aqui uma diferença importante: ao passo que Kant falou do nosso experimentar em termos de conceitos (tais como o de coisidade e causalidade) que são universais porque inatos à mente humana, nossos conceitos religiosos (tais como divindade, trindade, absoluto, vazio) variam de cultura para cultura.

FIL: Sim. E é claro que há também críticos que estão cientes de que você está tomando uma idéia básica de Kant, e não seu sistema como um todo; contudo, estes críticos consideram Kant, juntamente com seu pensamento básico, como o grande desencaminhador da filosofia moderna.[65]

JOÃO: Sei disso; e simplesmente discordo deles a este respeito. Tomado no todo de sua obra, considero Kant o mais penetrante e iluminado, bem como o mais influente, dos filósofos ocidentais modernos.

FIL: Bem, seja como for, retomemos minha observação segundo a qual seu uso de Kant o leva a ver as religiões mundiais diferentemente do modo como cada uma delas se percebe. Pois nenhuma delas se vê como uma maneira ou um caminho entre outros de perceber o divino. Ou será que sim?

JOÃO: Não, devo concordar que, nas suas formas tradicionais centrais, não se vêem assim. Isto deve-se ao fato de que aquilo que cada religião diz sobre o Último, o Real, foi desenvolvido dentro de seu próprio mundo conceitual. Deste modo, para o cristianismo, o Último simplesmente é a Santa Trindade; para o Islã, é simplesmente o Deus estritamente uno; para o hinduísmo, é simplesmente a consciência infinita de Brahman; e assim sucessivamente. Isso não seria problemático se todos os seres humanos tivessem a mesma religião - qualquer que fosse. O problema surge quando se leva em consideração a pluralidade de consciências do Real sustentadas no interior das diferentes religiões mundiais.

65. Por exemplo, Brian Hebblethwaite, John Hick and the Question of Truth in Religion, in: Arvind Sharma (ed.), *God, Truth and Reality:* Essays in Honour of John Hick, London: Macmillan/New York: St. Martin's Press, 1993, p. 132-3.

E, uma vez que se chega à conclusão de que seus frutos morais e espirituais parecem ter, apesar de diferentes, um valor mais ou menos igual, é-se levado a reconhecer que o Real é passível de ser pensado e experimentado humanamente em mais de uma única maneira. De fato, é precisamente isso que o pluralismo religioso propõe, e sua justificação está simplesmente em que é uma visão mais realista, já que considera uma variedade muito mais ampla de dados que qualquer um dos absolutismos tradicionais.

FIL: E, no entanto, esta visão mais realista, como você a denomina, afasta-se daquilo que cada tradição diz sobre si mesma.

JOÃO: Sim, ela se desvia e não tem como não fazê-lo. Isto deve ser reconhecido por toda e qualquer pessoa que busque desenvolver uma compreensão da diversidade religiosa.[66] De fato, não é evidente que qualquer relato sobre a situação religiosa humana que reconheça plenamente o valor religioso das outras grandes tradições mundiais deve diferir do relato tradicionalmente oferecido por qualquer uma delas?

FIL: Por quê?

JOÃO: Porque cada qual, quando deixada a si mesma, afirma seu próprio caminho salvífico, singularmente pleno, de acesso ao Real, e esta afirmação desenvolveu-se numa estrutura de crença que somente é capaz de acomodar outras tradições subordinando-as a si, quer considerando-as como erros totais, quer como verdades parciais. Logo, uma interpretação global que tem como ponto de partida a paridade salvífica aproximada das grandes tradições não será idêntica com o sistema de crenças de nenhuma delas. É por isso que ou temos de buscar uma perspectiva mais abrangente, ou cada um de nós irá retornar ao absolutismo da nossa própria tradição, com cristãos, judeus, muçulmanos, hindus, budistas

66. Assim, por exemplo, Keith Ward declara, a respeito de sua própria sugestão acerca do desenvolvimento das diversas tradições por meio de suas interações mútuas e de sua integração cada vez maior de outros saberes: "Obviamente estou ciente de que talvez a maioria das principais formas de fé religiosa não aceitassem o modo como apresentei as coisas neste capítulo – especialmente no que se refere à necessidade de assimilar plenamente atitudes pós-críticas." (Cf. *Religious Pluralism and Unbelief*, op. cit., p. 25-6.)

– e assim por diante – afirmando a superioridade única do seu próprio caminho.

FIL: Então, você realmente não se incomoda com o fato de o relato pluralista da situação efetivamente contradizer o relato que cada uma das religiões históricas oferece de si própria? Isso não soa um tanto presunçoso?

JOÃO: De certo modo sim, não resta dúvida. Deve-se, contudo, encarar o fato de que nenhuma hipótese sobre a relação entre as diversas religiões mundiais – a menos que tal hipótese simplesmente afirme a verdade de uma e a falsidade das restantes – será congruente com o sistema de crenças de uma delas em detrimento das outras. Reclamar disso é meramente recusar, em seu todo, o projeto de uma interpretação religiosa da religião em sua ampla variedade de formas. Não se pode buscar uma interpretação abrangente deste tipo e em seguida desqualificar toda e qualquer proposta que não seja uma mera cópia das doutrinas particulares da própria tradição de quem busca. Neste sentido, as opções são claras: ou se afirma a verdade absoluta da própria tradição, ou se opta por alguma forma de perspectiva pluralista – ou, é claro, desiste-se de toda e qualquer perspectiva, simplesmente considerando a questão toda como um mistério.

FIL: Penso que seria melhor deixar aos nossos colegas a tarefa de emitir seu próprio juízo a esse respeito. Voltemo-nos, agora, a uma outra crítica.

A pretensão pluralista de dispor de um ponto de vista privilegiado

Isso significa que o pluralista religioso reivindica dispor de um ponto de vista privilegiado, a partir do qual pode considerar as diferentes religiões e as relações entre elas de um modo imperceptível para as próprias religiões. Um crítico denominou esta pretensão de "mito do observador neutro",[67] enquanto outro, ainda mais grandiosamente, chamou-a

---

67. Eric O. Springsted, Conditions of Dialogue: John Hick and Simone Weil, *Journal of Religion*, v. 72, n. 1, jan. 1992, p. 22s.

de "logos atemporal que desfruta, com uma realidade imutável, de encontros que transcendem o tempo".[68] Desta maneira, como na antiga parábola indiana do elefante e dos homens cegos,[69] – na qual um apalpa a perna e declara que o elefante é uma árvore, enquanto outro apalpa a tromba e diz que é uma cobra enorme, ao passo que um terceiro toca a cauda e anuncia que o elefante é uma corda, e assim por diante –, assume-se que o narrador da parábola não está cego, sendo antes o único capaz de ver a cena em seu todo. No caso do pluralismo religioso isto se traduz, nas palavras de um escritor, "na pretensão imensamente arrogante de quem vê toda a verdade pela qual todas as religiões do mundo estão somente tateando".[70] Não é o pluralismo religioso arrogante desta forma?

JOÃO: Bem, certamente seria se fizesse tal reivindicação. Ocorre, porém, que se chega à hipótese pluralista indutivamente, a partir da base. Inicio como alguém comprometido com a fé de que a experiência religiosa cristã não é puramente uma projeção, mas, ao mesmo tempo, uma resposta cognitiva a uma realidade transcendente; e seus frutos na vida cristã me confirmam esta fé. Depois, passo a perceber que há outras grandes religiões mundiais que similarmente relatam suas diversas formas de experiência religiosa, cujo caráter cognitivo é fundamentado do mesmo modo. Tenho, assim, que estender a todas o princípio segundo o qual a experiência religiosa constitui uma base válida para a crença religiosa. Agora, porém, tenho em minhas mãos o problema de vários conjuntos

68. John Milbank, in: *Christian Uniqueness Reconsidered*, op. cit., p. 174.

69. Gavin D'Costa, in: Elephants, Ropes and a Christian Theology of Religions, *Theology*, v. 88, n. 724, jul. 1985, refere-se a mim como "a um dos principais porta-vozes da narrativa dos homens cegos e do elefante" (p. 260), baseando-se numa única referência à parábola (*God and the Universe of Faiths*, op. cit., p. 140), num ponto em que, aliás, mostro suas limitações após tê-la introduzido como exemplo de um modo de pensar indiano um tanto sedimentado. Com base em tão escassas evidências, D'Costa define o conteúdo todo do meu livro como "uma proposta da tese do homem-cego-elefante" (p. 265). Peter Byrne (John Hick's Philosophy of World Religions, *Scottish Journal of Theology*, v. 35, n. 4, ago. 1982), Philip Almond (John Hick's Copernican Theology, *Theology*, v. 86, n. 709, jan. 1983); e Michael Barnes (*Religions in Conversation*, London: SPCK 1989, p. 78) dão, cada qual a seu modo, asas a este exagero.

70. Lesslie Newbigin, *The Gospel in a Pluralist Society*, op. cit., p. 10.

conflitantes de reivindicações de verdade, que se acham igualmente bem assentados na experiência religiosa e são confirmados pelos seus frutos. Para compreender esta situação, formulo a hipótese de uma realidade divina última que é diferentemente concebida, e, por conseguinte, diferentemente experimentada, desde dentro dos diferentes modos religioso-culturais de ser humano. Trata-se de uma hipótese que é oferecida com a finalidade de explicar, a partir de um ponto de vista religioso e distinto do naturalista, os fatos descritos pelos historiadores da religião.[71] Trata-se de uma teoria explanativa; sugiro, assim, aos críticos que não a pareciam, que se ocupem tentando produzir uma melhor.

FIL: O fato de a hipótese pluralista ser, como você diz, "uma hipótese", faz-me estabelecer uma relação com o exame de tal "hipótese" proposto por Keith Ward, em seu recente trabalho intitulado *Religion and Revelation*, no qual apresenta o que pensa ser o seu argumento em seis proposições sucessivas, mostrando, a seguir, que estas proposições não formam um argumento logicamente válido.[72] Estaria ele correto ao supor que você está tentando oferecer um argumento logicamente irresistível para sua hipótese? Ou ele o interpretou mal?

JOÃO: Creio que fui mal interpretado. Como sempre insisti, a hipótese é oferecida como a "melhor explicação", isto é, como a mais abrangente e econômica, a partir de um ponto de vista religioso, dos fatos da história das religiões. Uma "melhor explicação" assim proposta não é

71. Joseph Runzo (God, Commitment, and Other Faiths: Pluralism Vs Relativism, *Faith and Philosophy*, v. 5, n. 4, out. 1988), reforça a crítica de que o pluralismo religioso "acabaria virando uma hipótese ou teoria sobre as religiões mundiais", p. 258. Mas ele é precisamente isto (assim como o são as propostas alternativas de Runzo ou de quaisquer outros, quer sejam reconhecidas ou não como tais), e não consigo ver como uma crítica válida de uma hipótese o fato de ser uma hipótese! Owen Thomas (Religious Plurality and Contemporary Philosophy: A Critical Survey, *Harvard Theological Review*, v. 82, n. 2, 1994), levanta a crítica de que "toda teoria pluralista universal ou quadro de referência oniabrangente é sempre a elaboração de uma perspectiva particular" (p. 207). É claro que é; mas também é particular qualquer outra teoria sobre qualquer coisa! E Thomas acrescenta, na mesma frase, o *non-sequitur* que só faz provocar perplexidade: "(...) e deste modo adquire a forma de um inclusivismo".

72. Keith Ward, *Religion and Revelation*, op. cit., p. 313-16.

uma prova, pois sempre fica em aberto a possibilidade de outra pessoa se apresentar oferecendo aquela que, segundo sua convicção, seria uma explicação melhor. Deste modo, a resposta certa de alguém que não gosta da explicação que propus não deveria ser a de reclamar que não foi provada, e sim a de elaborar uma alternativa viável.

Reivindicação exclusivista sobre a verdade e mitos

FIL: Veja bem, não estou defendendo posição nenhuma, simplesmente passando adiante as críticas feitas por outros à hipótese pluralista. Portanto, deixe-me retomar a acusação de que tal hipótese implica uma depreciação das doutrinas das diversas religiões, que lhes retira o status de verdades absolutas, transformando-as em verdades relativas, míticas, metafóricas ou simbólicas. Pois você diz isso com referência a algumas das afirmações mais centrais de todas as grandes tradições. Ou não?

JOÃO: Sim, digo. Tomemos uma ilustração: quero dizer, por exemplo, que o que é literal ou analogicamente verdadeiro sobre o Pai celestial da fé cristã – por exemplo, que Deus é amoroso, como um pai ou uma mãe ideais – é mitologicamente verdadeiro com respeito ao Real em si mesmo.

FIL: O que você quer dizer com "mitologicamente verdadeiro"?

JOÃO: Para mim, "mito" quer dizer uma história que não é literalmente verdadeira mas que tem o poder de evocar em seus ouvintes uma resposta prática ao referente do mito – neste caso, e naturalmente, um mito verdadeiro é aquele que evoca uma resposta *apropriada*. A veracidade de um mito é, portanto, uma veracidade prática, que consiste em sua capacidade de nos orientar corretamente em nossas vidas. Na medida em que o Pai celestial é uma manifestação autêntica do Real, pensar o Real como um Pai ou Mãe ideais significa pensar de um modo capaz de orientar-nos corretamente para o Real, o que evoca em nós uma confiança que pode permear nossas vidas e nos libertar para amar nosso próximo. E, evidentemente, também pretendo propor um relato paralelo da linguagem sobre a Realidade Última utilizada por cada uma das outras religiões mundiais.

FIL: Suponho que isso tenha alguma afinidade com a doutrina de Tillich referente ao caráter simbólico da linguagem religiosa. Não existem, porém, outros níveis de pretensões de verdade em conflito?

Crenças metafísicas em conflito

JOÃO: Sim, um segundo nível consiste de verdades metafísicas que foram adotadas pelas diferentes tradições. Deste tipo, são as crenças sobre a origem do universo - criado *ex nihilo*, emanado ou existente desde sempre, sem um começo. Em segundo lugar, as crenças sobre o destino humano - no céu e no inferno logo após a morte, ou isto somado ao purgatório; ou em repetidas reencarnações, seja do 'eu' consciente ou de uma estrutura de disposição (cármica) básica neste ou em outros mundos; ou numa eventual transcendência do 'eu' individual; ou, ainda uma mescla destas duas últimas.[73] E, em terceiro lugar, as crenças sobre anjos e demônios e outras esferas da existência, embora seja possível aumentar a lista de crenças metafísicas.

FIL: E o que você diz sobre estes assuntos?

JOÃO: Que deveríamos fazer uso de extrema cautela ao estabelecer reivindicações de conhecimento nestas áreas. De fato, no momento, não sabemos, em nenhum sentido estrito de "saber", se o universo físico é desprovido de um começo ou se teve um começo absoluto há um número finito de anos no passado; não sabemos se após a morte nascemos de novo noutra vida finita ou se surgimos no interior de um estado celestial eterno, e assim sucessivamente. Aqui, gostaria de elogiar o ensinamento de Buddha a respeito das "questões indeterminadas" (*avyakata*). De fato, os temas que acabei de mencionar se acham entre seus exemplos. Quando interrogado a respeito deles, Buddha se recusa a dar uma resposta, dizendo que são coisas que não precisamos saber para obter a libertação

73. Alguns leitores talvez estejam interessados em perseguir estas possibilidades em meu livro de 1976 *Death and Eternal Life* (Cf. as edições mais recentes: John Hick, *Death and Eternal Life*, London: Macmillan, 1985; Louisville: Westminster/John Knox Press, 1994).

ou o despertar, e que fazer disso nosso grande objeto de preocupação e busca somente iria distrair-nos da busca por libertação. Esta me parece uma posição realista – apesar do fato de alguns de nós sermos pagos para passar o tempo ponderando sobre estas questões! Penso que temos de aceitar que nossas opiniões nestas áreas são somente opiniões, e que não é necessário para a salvação que nossas opiniões atuais se confirmem verdadeiras.

FIL: Está querendo dizer que não faz nenhuma diferença se, por exemplo, o universo teve início há cerca de quinze bilhões de anos ou se sempre existiu?

JOÃO: Não, é claro que faz diferença, no sentido de que estas são duas possibilidades genuinamente diferentes e que se excluem mutuamente. Contudo, isto não faz nenhuma diferença prática para nós agora, na vida que vivemos. Podemos viver religiosamente com qualquer um destes modelos cosmológicos; e se um deles parece ser obviamente verdadeiro para algumas pessoas e o outro obviamente falso, isso deve-se ao fato de que foram criadas numa cultura, e não em outra. Num sentido objetivo, nenhuma delas é, de fato, obviamente verdadeira no momento atual.

FIL: Mas o que você diz das culturas para as quais estas idéias são tão caras? Não é verdade que a crença cristã na criação divina a partir do Nada, e conseqüentemente na idéia de que o universo tem uma estrutura definida e passível de ser descoberta, fez que a ciência moderna se tornasse possível? Não foi Alfred North Whitehead quem sugeriu que a "fé na possibilidade da ciência, produzida antes do desenvolvimento da moderna teoria científica, é um elemento inconscientemente derivado da teologia medieval?"[74] E não é verdade que a crença indiana num universo cíclico, continuamente criado e destruído e recriado, acabou por mostrar-se incompatível com a dinâmica das descobertas científicas?

JOÃO: Não, não penso desta maneira. É certamente verdade que a ciência pressupõe um universo ordenado, que funciona de acordo

74. Alfred N. Whitehead, *Science and the Modern World*, Cambridge: Cambridge University Press, 1926, p. 18.

com regularidades que podem ser observadas, de modo a tornar-se possível o planejamento de experimentos e o desenvolvimento de teorias explicativas. Contudo, todas as grandes religiões mundiais vêem o processo do mundo como um processo que procede de uma forma ordenada e governada por leis; e tanto a ciência chinesa antiga como a islâmica medieval fizeram progressos reais a partir disso. Nenhuma das religiões mundiais vê o universo como um caos impassível e fechado à observação e teorização sistemáticas – embora a maioria delas, incluindo o cristianismo, também acredite nos milagres que arbitrariamente interrompem a ordem da natureza, sendo, assim, incompatíveis com o projeto científico.

FIL: Mas certamente é verdade que a vasta expansão moderna da ciência começou em território cristão.

JOÃO: Sim, é verdade. No entanto, dificilmente pode-se considerar tal expansão como um resultado natural de idéias especificamente cristãs. Se assim fosse, por que a civilização cristã passou sem produzir ciência por mais de mil anos? E por que, quando começou a ciência moderna, a Igreja tentou suprimi-la? A Igreja não foi amiga de Copérnico ou de Galileu, e nem de Lyell, de Darwin ou de Huxley. O estímulo intelectual por detrás da ciência ocidental moderna parece ter sido, antes, a redescoberta renascentista do espírito grego de livre investigação. E logo que as ciências se tornaram rapidamente autônomas, e a Astronomia, e mais tarde a Geologia, produziram descobertas que conflitavam com a visão de mundo tradicional da Igreja, esta reagiu violentamente contra elas. Disso resultaram os grandes debates do tipo "ciência *versus* religião" no século XIX.

FIL: Então você não inclui a ciência moderna entre os créditos e méritos do cristianismo?

JOÃO: Não. A ciência moderna, ao lado da tecnologia enquanto sua aplicação prática, é um empreendimento autônomo que, após começar na Europa, espalhou-se rapidamente pelo globo; e hoje há um sem-número de físicos eminentes e pessoas atuantes em outras ciências cuja origem é judia, hindu, budista, muçulmana e também cristã.

E, se me é permitido acrescentar outro ponto, a idéia cíclica que associamos ao pensamento oriental tornou-se uma das opções vigentes na cosmologia científica de hoje por meio do modelo de um universo que se expande e se contrai sem início no Tempo. É provável que sejamos finalmente capazes de determinar se a quantidade de matéria no universo é ou não suficiente, dada sua força gravitacional, para reverter a atual expansão, abrindo a possibilidade de uma série de expansões e contrações sem começo e sem fim; ou se, pelo contrário, o *big bang*, ocorrido aproximadamente há dez ou quinze bilhões de anos, foi um começo absoluto. Entretanto, se vier à tona o fato de que o modelo cíclico é o correto, isso não significaria um golpe para uma forma racional de cristianismo, do mesmo modo que a descoberta de que o *big bang* foi um acontecimento único não seria um golpe para uma forma racional de crença hindu ou budista. As verdades centrais da religião não dependem de tais questões.

FIL: Não tenho certeza se posso concordar com isso tudo ou não. Mas, de qualquer modo, passemos ao último tipo de reivindicações de verdade em conflito, a saber, as reivindicações históricas de verdade.

Reivindicações históricas de verdade em conflito

JOÃO: Está bem. Mas na verdade não há muitos conflitos deste tipo entre as religiões porque, de modo geral, cada tradição valoriza em separado seu próprio filão de história recordada. Contudo, há alguns poucos casos da história bíblica comuns ao judaísmo, ao cristianismo e ao islamismo.

FIL: Por exemplo?

JOÃO: Bem, existe a discordância entre o judaísmo e o Islã a respeito de Isaac e Ismael, tradicionalmente considerados como antepassados dos povos judeu e árabe, respectivamente. De acordo com a Torá (Gênesis 22), Abraão quase sacrificou seu filho Isaac. Segundo o Alcorão (Sura 37, 100-108), Abraão sonhou que estava sacrificando um filho cujo nome não aparece no texto, mas que a tradição islâmica afirma ser Ismael. Em cada uma das histórias, o filho é incluído num teste que tem como resultado a bênção divina sobre Abraão e sua descendência. A figura de Abraão, porém, pertence a uma saga pré-histórica, e as disputas sobre ele não podem ser resolvidas por meio de evidências históricas. Sua significância jaz no uso de Isaac e Ismael como símbolos da preeminência judaica e árabe. Entretanto, no momento em que judeus e muçulmanos não estiverem mais interessados em reivindicar este tipo de preeminência, e sim em reconhecer (como de fato muitos o fazem) que Deus é igualmente adorado dentro de ambas as tradições, a história de Abraão cessará de ser o pomo de discórdia entre eles.

FIL: E outro exemplo?

JOÃO: Neste caso, trata-se da crença cristã de que Jesus morreu na cruz *versus* a crença islâmica que diz que ele somente pareceu morrer. Neste caso, há evidências extrabíblicas nas referências praticamente contemporâneas de Josefo e Tácito à execução de Jesus sob o governo de Pôncio Pilatos. E contudo, há um fator de confusão à medida em que o Alcorão (4.157) diz que este "parece" ter sido o caso; portanto, as evidências históricas poderiam ser as mesmas com base no relato do Alcorão! Um ponto importante da diferença está, é claro, na centralidade da morte de Jesus para as várias doutrinas cristãs da satisfação vicária.[75] Logo, trata-se, aqui, de uma questão significativa. Mas, à parte estes dois exemplos, não consigo pensar, no momento, em nenhum outro par de crenças históricas conflitantes entre as religiões - embora possam existir outras das quais não tenho conhecimento. Tudo o que posso dizer sobre quaisquer disputas deste tipo é que somente podem ser apropriadamente resolvidas, se é que podem ser resolvidas de todo, por meio de evidências históricas.

75. Para um análise crítica destas doutrinas, ver meu livro *The Metaphor of God Incarnate*, op. cit., caps. 11-12.

III

O Real, a inefabilidade e os critérios

A inefabilidade do Real

FIL: Agora vou abordar uma crítica diferente, e muito fundamental, proposta por diversos autores. Refiro-me ao Real como inefável – como algo que se situa além do alcance de nossos sistemas conceituais humanos. Tal descrição é correta, não é mesmo?

JOÃO: Sim.

FIL: Você deu sustentação a esta tese afirmando que a idéia de inefabilidade – ou, em termos orientais, a "ausência de forma" – da Realidade Última é ensinada em todas as grandes tradições. Como você comprova isso?

JOÃO: Poderia oferecer inúmeras citações, mas aqui vão umas poucas, mais representativas. Dentro do hinduísmo, os Upanixades dizem, a respeito do Brahman: "Até lá não chega o olho e a fala ali não vai, nem a mente";[76] e dizem ainda que Brahman é aquilo "diante do qual as palavras recuam, e que nenhum entendimento jamais alcançou".[77] Ou então: "Vós sois sem forma: vossa única forma é nosso conhecimento de vós".[78] Do siquismo vem a citação: "Não posso obter um conceito d'Ele pelo

---

76. *Mundaka Upanishad*, I. 3, trad. Radhakrishnan, *The Principal Upanishads*, London/New York: Allen & Unwin/Humanities Press, 1969, p. 688.

77. *Taittiriya* Upanishad, II. 4. I, trad. Radhakrishnan, op. cit., p. 552.

78. *Yogava'sistha*, I, 28. Cf. V. L. Parrisikar (ed.), *Srimad - Valmiki - Maharsi - Pannitah Yogava'sistha*, I, 2. ed., Bombaim: Tukaram Javaji, 1978, p. 144.

pensamento, mesmo que pense centenas de milhares de vezes".[79] O *Tao Te Ching* declara que o "Tao que pode ser expresso não é o Tao eterno".[80] No budismo, faz-se referência à Realidade Última, dentro da tradição *mahayana*, com o termo *sunyata*, o vazio. Como explica D. T. Suzuki, "dizer que a realidade é 'vazia' significa que está além da definibilidade, não podendo ser qualificada como isto ou aquilo".[81] Em outras palavras, é vazia de tudo que a mente humana projeta em sua atividade de consciência. Mais uma vez, em outra formulação, refere-se à Realidade Última como ao Dharmakaya, o corpo-verdade inefável da natureza búdica universal, que se torna concreta e nomeável nos Buddhas celestiais de Sambhogakaya e nos Buddhas históricos encarnados do Nirmanakaya. Dentro das vertentes místicas do judaísmo e do Islã, *En Sof*, o Infinito, e *al-Haqq*, o Real, estão além de todas as formas do pensamento humano. E dentro do cristianismo, já em seu período inicial, Gregório de Nissa escreveu que "é impossível apreender [Deus] por meio de qualquer termo, ou qualquer idéia, ou qualquer outro expediente da nossa apreensão, de sorte que Ele permanece não só além do alcance da inteligência humana, mas também além da inteligência angelical e de toda inteligência supramundana, impensável, impronunciável e acima de toda expressão em palavras".[82] Mais tarde, São Tomás de Aquino escreveu que "pela sua imensidão, a substância divina ultrapassa toda forma alcançável por nosso intelecto",[83] e que "o que Deus é transcende tudo o que d'Ele compreendemos".[84] De fato, penso que podemos dizer que todo pensamento

79. *Japi* do Guru Nanak, in: Ninian Smart, Richard Hecht (eds.), *Sacred Texts of the World,* London/New York: Macmillan/Crossroad, 1982, p. 330.

80. *Tao Te Ching*, I, trad. Ch'u Ta-Kao, London/Boston: Mandala Books, 1982.

81. D. T. Suzuki, The Budhist Conception of Reality, in: Frederick Franck, (ed.), *The Buddha Eye*, New York: Crossroad, 1982, p. 103.

82. Gregório de Nissa, *Against Eunomius*, I, 42, in: Philip Schaff, Henry Wace, (eds), *Nicene and Post-Nicene Fathers*, Series 2, v. V, Grand Rapids, Mich.: Eerdmans, 1956, p. 99.

83. São Tomás de Aquino, *In librum De Causis*, 6. Citado por F. C. Coplestone, *Aquinas*, Harmondsworth: Penguin Books, 1955, p. 131-2.

84. São Tomás de Aquino, *De Potentia*, Q. 7, art. 5, citado por Hans Küng, *Great Christian Thinkers*, London/ New York: SCM Press/Continuum, 1994, p. 126.

religioso sério afirma que a Realidade Última, em sua realidade divina infinita, está absolutamente além da nossa compreensão.

FIL: E não obstante, por outro lado – e com certeza quando se trata de cristianismo –, os pensadores também sempre insistiram em falar dos atributos divinos positivos.[85]

JOÃO: Sim, isso é correto. A teologia cristã sempre quis reconhecer a inefabilidade absoluta da natureza divina sem ao mesmo tempo deixar, para fins devocionais e litúrgicos, de falar de Deus como uma presença pessoal com qualidades distintas, semelhantes às humanas. Mas a relação entre estes elementos aparentemente incompatíveis nunca ficou clara. Sugiro, contudo, que pode ser esclarecida se distinguirmos Deus em seu ser auto-existente infinito, que se acha além da nossa apreensão conceitual, e Deus assim como nos é conhecido de formas humanamente concebíveis e experimentáveis.

FIL: Então, segundo o que você diz, não se pode falar de Deus *a se* – ou o Real *an sich* – em termos humanos?

JOÃO: Sim, está correto, mas sem deixarmos de fazer a pequena ressalva de que a lógica, deixada a si mesma, pode gerar afirmações puramente formais sobre qualquer coisa, inclusive sobre o inefável. Pois dizer que não se pode falar do Real em linguagem humana já é ter dito algo a seu respeito em linguagem humana – a saber, que não se pode falar dele em linguagem humana! Mas trata-se, aqui, de uma trivialidade lógica que não tem conseqüências significativas. Deveríamos mencioná-la, e logo seguir adiante.

FIL: Mas ela é realmente tão trivial assim? Um autor destacou que "se *x* tem a propriedade de ser objeto de referência, esta deve ser realizada por meio de ostensividade [isto é, apontando ou mostrando de algum modo] ou descrição. A ostensividade fica excluída por definição no caso de um objeto que transcende o universo. Logo, qualquer referência deve ser feita por descrição; *x* deve ser identificado como 'o *x* que'."[86] Não é certo?

85. Cf. Paul Eddy, Religious Pluralism and the Divine, *Religious Studies*, v. 30, n. 3, dez. 1994, p. 469-73.

86. Keith Ward, Truth and the Diversity of Religions, *Religious Studies*, v. 26, n. I, mar. 1990,

JOÃO: Sim, no sentido de que seria um absurdo falar de um *x* sobre o qual nada pode ser dito exceto que a ele se pode fazer uma referência. Mas não é disso que se trata aqui. Este *x* é postulado como aquele que deve ser se a experiência religiosa, em sua diversidade de formas, não é puramente uma projeção imaginativa, mas também uma resposta a uma realidade transcendente.[87]

FIL: Ou, presumivelmente, realidades.

JOÃO: Acho que não; mas será que podemos analisar essa questão separadamente mais tarde?

FIL: Tudo bem. Até aqui, então, ficamos com a concepção de que o Real não possui qualidades humanamente concebíveis – além das qualidades puramente formais que você acabou de mencionar – e, conseqüentemente, que não se pode dele dizer que seja em si mesmo pessoal ou impessoal, um ou muitos, bom ou mau, justo ou injusto, substância ou processo, ativo ou passivo, dotado de propósito ou não dotado de propósito. Em consonância com isso, parece que seria um mal-entendido pensar que o Real seja uma "coisa" ou substância de algum tipo, que é como alguns entenderam suas afirmações.[88]

JOÃO: Sim, seria.

FIL: Mas se o Real não é uma coisa de nenhum tipo, então certamente não é nada.

JOÃO: Não. Ele não é uma "coisa", mas ele não é nada![89]

FIL: Explique isso.

JOÃO: Não é uma "coisa" porque transcende todos os nossos conceitos

---

p. 9. Ver também Keith Yandell, Some Varieties of Religious Pluralism, in: J. Kellenberger, (ed.), *Inter-Religious Models and Criteria*, London/New York: Macmillan/St. Martin's Press, 1993, p. 195-8.

87. Gostaria de acrescentar, aqui, que Keith Ward (cf. ibid., p. 10), seguido por Paul Eddy (Religious Pluralism and the Divine, op. cit., p. 472), está correto ao ressaltar que o conceito de Deus de Anselmo – que diz que Deus é "aquilo em relação ao qual não se pode conceber algo maior" – não é um bom exemplo – como já cheguei a achar e sugerir uma vez – de um conceito puramente formal; e eu aceito a correção proposta por eles.

88. P. ex. Ninian Smart, A Contemplation of Absolutes, in: *God, Truth and Reality*, op. cit.

89. "It is no *thing*, but not nothing!", um jogo de palavras no original. (N.T.)

de coisas, inclusive nossos conceitos religiosos de coisa. Mas, por outro lado, não se segue que seja nada: é aquela realidade em virtude da qual, através da nossa resposta a uma ou outra de suas manifestações como figuras de Deus ou dos Absolutos não-pessoais, podemos alcançar o estado bem-aventurado de descentramento egóico, que é nosso bem supremo.

FIL: Então esta Realidade Última que não é uma coisa e, não obstante, não é o nada, seria o mesmo que *sunyata* – o Vazio ou Vácuo – do qual falam os budistas da tradição mahayana?

JOÃO: Isso vai depender de como você interpreta *sunyata* – termo sobre o qual há toda uma literatura. Se entender que a idéia de *sunyata* significa que a Realidade Última é completa e inteiramente vazia de tudo aquilo que a mente humana projeta na sua atividade cognitiva, então o termo realmente se aplica ao que entendo por Real. Ele[90] não possui qualidades humanamente concebíveis.

FIL: Então não pode ser definido, por exemplo, como pessoal?

JOÃO: Não, não pode. Mas ao negar que o Real seja pessoal não se está dizendo que seja impessoal, e sim que o dualismo pessoal-impessoal não se aplica neste caso. Perguntar se o Real é pessoal ou impessoal seria enganoso, pois a pergunta pressupõe que é uma entidade do tipo que poderia ser pessoal ou impessoal. Ocorre o mesmo com outros dualismos.

FIL: Tudo bem. Ainda assim, porém, gostaria de pressioná-lo um pouco mais no tocante à inefabilidade. Conforme você disse, a afirmação de que "Deus é bom, amoroso e dotado de propósito" é literalmente verdadeira, no que se refere ao Pai celestial dos ensinamentos de Jesus, e mitologicamente verdadeira, no que se refere ao Real em si mesmo. Não poderíamos, contudo, igualmente, ou ainda melhor, dizer que aquela afirmação é *analogicamente* verdadeira no que se refere ao Real em si mesmo?[91] Pois, se o Pai celestial é uma manifestação, ou aparência, ou

90. "Ele (=it) – em inglês tem-se que dizer 'he', 'she', ou 'it', e 'it' é o termo que nos leva ao menor número de erros – (...)." (N.A.)

91. Este tópico é objeto de bons argumentos por parte de Bernard J. Verkamp, Hick's Interpretation of Religious Pluralism, *International Journal for Philosophy of Religion*, v. 30, n. 2, out. 1991, p. 111-12.

ainda uma forma experimentável autêntica do Real, não seria então necessário que os atributos do Pai celestial tivessem seu equivalente analógico no próprio Real? Ainda que o Real não seja bom ou amoroso, do modo humanamente compreensível em que o é o Pai celestial, certamente deve haver, na natureza do Real, algo *análogo* à bondade e ao amor. Caso contrário, de que modo o Pai celestial poderia ser uma manifestação genuína do Real? Por que razão uma divindade má e sem amor não poderia ser uma manifestação autêntica do Real? Pela única razão, seguramente, de que o Real possui uma natureza tal que se reflete na bondade e no amor, mas não no mal e no ódio. Portanto, o Real deve ter uma natureza que inclui seus próprios equivalentes analógicos de bondade e amor.

JOÃO: Vejo a força do seu argumento. Contudo, não acho que possa ser aceito, já que viola o princípio de que qualquer interpretação abrangente da religião deve levar em conta todas as grandes tradições, e não somente àquela a qual pertence o intérprete.

FIL: O que você quer dizer?

JOÃO: Suponhamos, por meio de um experimento de pensamento, que o Real possui seus equivalentes analógicos dos vários atributos do Pai celestial, que incluirão a personalidade, o amor, a bondade, a compaixão, a justiça, a misericórdia, o poder, intenções, consciência e conhecimento. Temos, agora, de acrescentar que o Real também possui seus equivalentes analógicos dos atributos de suas outras *personae* e *impersonae* autênticas. Isso, porém, rapidamente nos conduz a evidentes contradições. A descrição do Real terá de incluir, agora, sua característica de ser analogicamente pessoal e também analogicamente não-pessoal, analogicamente consciente e também não-consciente, analogicamente dotado de propósito e não dotado de propósito, análogo a uma substância e também análogo a um processo não-substancial, e assim por diante. Quanto mais equivalentes analógicos acrescentarmos à lista, tanto mais incoerente ela vai se tornar. Por conseguinte, ao invés de entrar nesse pântano de impossibilidades, parece-me que deveríamos admitir que todos estes atributos são componentes de nosso repertório conceptual humano.

Mas uma interpretação abrangente da religião requer que postulemos uma Realidade Última que excede o repertório conceptual, e que então é, do nosso ponto de vista, inefável ou sem forma. Ela possui sua própria natureza, presumivelmente infinita em riqueza, mas essa natureza não é pensável em nossos termos humanos – na verdade, até mesmo o conceito de uma natureza, ou de uma essência, pertence à rede de conceitos humanos que são totalmente transcendidos pelo Real.

FIL: Mas você disse em sua conferência, e cito seu texto, que "não podemos descrever [o Real] como é em si mesmo, mas somente como é pensado e experimentado em termos humanos – a partir do interior de algumas tradições como [Real] pessoal e a partir de outras como [Real] não-pessoal, e a partir de todas elas como [Real] que é, com relação à vida humana, bom ou benigno ou gracioso, enquanto base de toda transformação humana que conduz do autocentramento infeliz à bem-aventurança que é diversamente pensada e experimentada como vida/paz eterna com Deus/*nirvana*/*moksha*/*satori*".[92] Mas como você pode descrever o Real como bom, benigno e gracioso, atributos humanamente concebíveis, e ao mesmo tempo insistir que o Real não possui atributos humanamente concebíveis?

JOÃO: Veja bem, não estou descrevendo o Real *em si mesmo* como bom, ou benigno, ou misericordioso. Mas em relação a nós – isto é, em termos da diferença que o Real faz para nós – o Real é bom como o fundamento do estado transformado que é nosso bem supremo. Assim, o sentido em que o Real é bom, benigno e gracioso é análogo àquele segundo o qual o sol é, do nosso ponto de vista, bom, amigável, doador de vida. – Poetas falaram, por exemplo, do "próprio bem-aventurado sol", e de como "o sol segue a brilhar docemente". O calor do sol que doa a vida é o fundamento, ou o *sine qua non*, de nossa existência e de nossa exuberância. Semelhantemente, o Real é a condição necessária da nossa existência e da obtenção de nosso bem supremo. É nesse sentido que

92. Refere-se à página 52 da presente edição, capítulo 1, *A Hipótese Pluralista*, subtítulo: A *resposta pluralista*. (N.T.)

podemos falar do Real como sendo, em relação a nós, bom, benigno e gracioso. Mas ao descrevermos o Real em si mesmo nestes termos já estamos falando em termos mitológicos, e não literais.

FIL: Parece, então, que sua posição é bem mais radical que o tipo de pluralismo defendido por Keith Ward. Ele também afirma uma forma de pluralismo religioso, mas diferente da sua. Ele fala da Realidade Última como de um Deus universal que é "uma realidade suprema de valor, amor e poder",[93] "uma realidade de compaixão e contentamento"[94] que é "una, perfeita, a causa de tudo".[95] É bem verdade que não especifica que a Realidade Última seja pessoal, embora os qualificativos amável, compassivo e bem-aventurado pareçam implicar isto. Afirma, ainda, que as várias grandes religiões têm vislumbres diferentes e parciais deste Deus: "Praticamente todas as tradições religiosas sérias estão munidas de matrizes míticas; e estas implicitamente contêm a revelação de uma realidade de compaixão e bem-aventurança espiritual, realidade que conclama os seres humanos à união consigo".[96] "Conseqüentemente," diz ele, "há uma realidade espiritual de poder e valor supremos; mas é improvável que cheguemos a ter uma concepção bem adequada da mesma."[97] Isso lhe parece correto?

JOÃO: Bem, no cenário teológico contemporâneo, considero Ward uma figura importante, que está a conduzir o pensamento numa direção inteiramente certa. Contudo, você está certo ao pensar que minha própria posição é mais radical. E também é mais abrangente, na medida em que leva plenamente em consideração tanto as formas não-teístas e teístas de religião – de fato, é mais radical precisamente com a finalidade de ser mais abrangente. Defendo que as qualidades atribuídas por Ward a Deus – valor, amor, compaixão, poder, bem-aventurança, unidade e perfeição

93. Keith Ward, Divine Ineffability, in: *God, Truth and Reality*, op. cit., p. 218.

94. Ibid.

95. Ibid., p. 219.

96. Ibid., p. 218.

97. Ibid., p. 219.

– são elementos do rico repertório conceitual com o qual pensamos, e conseqüentemente experimentamos, religiosamente. Quando o Real adentra nossas consciências, somente somos capazes de experimentar nestes termos e/ou em outros comparáveis a eles – tais como justo, judicativo, exigente, zeloso, terrível, numinoso, santo, fonte de temor reverente etc. Mas todos estes termos – até mesmo unidade (e trindade) – são conceitos humanos. Se existe uma realidade que está além do alcance de nossa experiência, não temos razões para pensar que nosso sistema de conceitos experienciais a ela se aplicam; e se consideramos as principais tradições religiosas como respostas humanamente condicionadas a tal realidade, estamos justificados ao pensar que estes conceitos *não* se aplicam a ela – ou seja, como acabei de indicar, que, se a ela se aplicassem, ela possuiria atributos mutuamente contraditórios, tais como o de ser pessoal e ser não-pessoal, ser criadora e não ser criadora, e assim por diante. Logo, se, tendo em vista os seus frutos na vida humana, pode-se considerar o budismo, o hinduísmo advaítico e o taoísmo, e também as crenças teístas como respostas à Realidade Última, deve-se postular uma realidade à qual estes dualismos conceituais não se aplicam, embora [tal realidade] seja mesmo assim humanamente pensada e experimentada através deles.

FIL: Então você não aceita a tese de que, como diz um crítico, "o conjunto das proposições verdadeiras sobre uma dada imagem (por exemplo, Allah ou Amida Buddha) deve formar um subconjunto do conjunto de todas as proposições verdadeiras sobre o Uno Eterno [o Real] como é em si mesmo";[98] e você não aceita a descrição do Real que lhe é atribuída por um crítico e que declara [ser o Real] "uma realidade de amor e poder supremos que, no fim, nos levará a todos à felicidade definitiva".[99]

JOÃO: Não. Isto significaria esquecer a distinção entre o Real em si mesmo e suas várias *personae* experimentáveis, tais como o Pai celestial dos ensinamentos de Jesus. O Real em si mesmo não pode corresponder

98. Harold Netland, John Hick on Religious Pluralism, *Religious Studies*, v. 22, n. 2, jun. 1986, p. 258.

99. Keith Ward, Divine Ineffability, p. 216.

à imagem antropomórfica de um ser poderoso e amoroso que age em relação a nós, conduzindo-nos a uma completa e feliz plenitude. Mas, por outro lado, podemos falar de forma apropriada, em linguagem mitológica, do Real nestes termos, como também em muitos outros, incluindo termos não-pessoais.

FIL: Mas como, então, o Real pode ser adorado? Certamente um objeto de culto tem de possuir algumas características definidas. Tem de ter um "rosto" que possamos reconhecer. Como pergunta um dos críticos, "o que, na verdade, poderia significar o culto de um númeno?"[100]

JOÃO: Sim, o que poderia? Mas é claro que não adoramos o Real numenal em si mesmo! Adoramos uma ou outra de suas *personae* – Allah, a Santa Trindade, Adonai, Vishnu e assim por diante. Ou orientamo-nos em meditação em direção a uma das suas *impersonae* – o Tao, Brahman, o Dharma, Sunyata e assim sucessivamente. Mas, fazê-lo, estamos dando uma resposta ao Real que, por assim dizer, jaz por detrás de suas diferentes manifestações à humanidade.

FIL: Sendo que a expressão "jaz por detrás" seria uma metáfora. Estou certo?

JOÃO: Sim. Aquilo a que deste modo nos referimos é a relação entre uma realidade como é em si mesma, livre de percepção, e uma realidade como é percebida por uma forma particular de consciência.

O Real como vácuo e redundante

FIL: Está bem. Mas isso nos leva a outro ponto relacionado a este. Vários críticos indicaram que o conceito do Real como inefável ou sem forma constitui o último estágio num movimento que se desdobra de uma concepção mais específica para uma concepção mais geral da Realidade Última. A certa altura, creio eu, você falou da Realidade Última como do Deus triuno do cristianismo; e, mais tarde, como de uma espécie de deidade genérica, auto-revelada através das diferentes religiões;

---

100. Eric O. Springsted, Conditions of Dialogue. John Hick and Simone Weil, *The Journal of Religion*, v. 72, jan. 1992, p. 23.

mas agora você finalmente fala dela como de uma Realidade que está para além da personalidade e da impessoalidade, e que, de fato, não possui atributos humanamente concebíveis – com exceção, é claro, daqueles atributos puramente formais. E incidentemente, para fazer uma pequena digressão, alguns críticos levaram em alta conta o fato de você ter mudado de idéia ao longo dos aproximadamente vinte anos durante os quais escreveu sobre esse assunto específico. Você considera isto uma crítica?

JOÃO: Sim e não. Retrospectivamente, isso implica uma crítica válida de algumas das minhas idéias anteriores. Mas, no geral, penso ser um bom sinal o fato de que a perspectiva de alguém mude em decorrência de uma reflexão contínua. Estou de acordo com Jonathan Swift quando diz que "um homem nunca deveria envergonhar-se de admitir que estava errado, o que é o mesmo que dizer, em outras palavras, que é mais sábio hoje do que era ontem"!

FIL: Está bem. Mas, concentrando-nos de novo na sua sabedoria de hoje: não se dá o caso de que o Real, como referente religioso último, veio a tornar-se, nas palavras de um crítico, "tão vago ao ponto de ser inteiramente redundante"?[101] Não se dá o caso de que você, nas palavras de um outro crítico, acabou de fato num "agnosticismo transcendental"?[102] Não é o Real um mero espaço vazio, a tal ponto de não fazer diferença o fato de estar lá ou não?

JOÃO: Sei que há aqueles que vêem esta como uma crítica importante. Porém, antes de respondê-la diretamente, deixe-me relembrá-lo de que não estou dizendo que o Real não possui a natureza que tem, mas que esta natureza não pode ser expressa dentro dos nossos sistemas conceptuais humanos.

FIL: Então o Real tem atributos?

---

101. Brian Hebblethwaite, John Hick and the Question of Truth in Religion, in: Arvind Sharma, (ed.), *God, Truth and Reality*, op. cit., p. 130.

102. Gavin D'Costa, John Hick and Religious Pluralism: Yet Another Revolution, in: Harold Hewitt, (ed.), *Problems in the Philosophy of Religion:* Critical Studies of the Work of John Hick, London/New York:: Macmillan/St. Martin's Press, 1991, p. 7s.

JOÃO: Não, se por "atributos" entendermos características discerníveis, pois a própria idéia de um atributo neste sentido é um elemento situado no interior de esquemas conceituais que nos são próprios.

FIL: Então você está dizendo que o Real tem sua própria natureza, mas que esta não pode ser descrita em quaisquer termos humanos?

JOÃO: Sim, se o Real é "maior", ou "mais do que", ou "está além" de qualquer coisa que possamos conceber, isso significa que não podemos descrevê-lo com os conceitos embutidos em nossas linguagens humanas. Mas isto não significa dizer que o Real é um espaço vazio. Muito pelo contrário, é mais do que sequer podemos imaginar. Como disse Anselmo, é "maior do que podemos conceber".[103]

Então por que postular o Real?

FIL: Nesse caso, porém, e uma vez que não podemos dizer nada de concreto sobre o Real, por que supor que existe? Que diferença faz sua existência ou não-existência? Suponho, contudo, que você irá dizer que "existência" também é um conceito humano que não se aplica aqui?

JOÃO: Em sentido estrito, sim - como já foi indicado há algum tempo por Paul Tillich.[104] *Podemos* perguntar, contudo: "Por que postular o Real? Por que, nesse sentido, supor que existe?"

FIL: Sim. Por quê?

JOÃO: Posso, ao responder, pressupor que compartilhamos a fé básica de que a experiência religiosa humana não é puramente projeção e imaginação, mas é uma resposta a uma realidade transcendente de algum tipo?

FIL: Sim, acho que os críticos que tenho em mente partem desse pressuposto.

JOÃO: Bem, se religião é uma resposta, ou uma série de respostas - a que, então, é uma resposta? O cristianismo diz que é resposta à Santa Trindade; o islamismo, a Allah, o Deus estritamente unitário; o hinduísmo,

---

103. Santo Anselmo, *Proslogion*, 15.

104. Paul Tillich, *Systematic Theology*, v. 1, Chicago: University of Chicago Press, 1951; London: SCM Press, 1978, p. 205.

ao Brahman; e assim por diante. Contudo, quando consideramos cada uma destas tradições separadamente, bem como outras tradições importantes, como contextos mais ou menos igualmente efetivos de salvação/libertação, estamos considerando-as como respostas àquilo a que a religião é uma resposta – algo a que me refiro ao falar do "Real".

FIL: Presumo que assim as consideramos.

JOÃO: Mas, neste caso, podemos dizer que uma destas tradições está correta ao identificar o Real com, digamos, o Allah [Deus] do Islã, e que todas as outras estão equivocadas ao identificá-lo com seu próprio objeto de culto ou foco de meditação?

FIL: E não é exatamente isto que fazem as pessoas de cada uma das tradições? Não é verdade que cada uma delas acredita que sua própria consciência da Realidade Última é autêntica, ao passo que a consciência das pessoas de outras tradições está equivocada ou é deficiente?

JOÃO: Sim, realmente. Mas este foi o ponto em que entramos na discussão! Começamos com a questão relativa a se o absolutismo confessional é consistente com o reconhecimento da paridade aproximada, até onde podemos dizer, de todas as religiões mundiais como contextos de salvação/libertação. E, se levamos a sério esta paridade, com certeza seria implausível reivindicar que somente uma das tradições salvíficas – a saber, a nossa – tem uma concepção verdadeira do Real. Não seria mais plausível supor que os diferentes objetos de adoração e focos de contemplação são manifestações diferentes do inefável Real-em-si-mesmo? Logo, o Real é aquilo que deve ser se a experiência religiosa humana, em sua diversidade de formas, não for puramente uma projeção imaginária. Ele é, em termos kantianos, um postulado necessário da experiência religiosa na sua diversidade de formas.

FIL: Não obstante, de acordo com sua visão, as diferentes formas de experiência religiosa – a experiência do Deus trinitário, de Allah, de Adonai, de Vishnu, de Shiva e a experiência do Brahman, do Dharmakaya e assim por diante – são todas em parte produtos da imaginação humana tal como foi diversamente formada pelas diferentes tradições religioso-culturais?

JOÃO: Sim. Estou aplicando à experiência religiosa o princípio epistemológico que, nas palavras de São Tomás, "as coisas conhecidas estão no conhecedor de acordo com o modo do conhecedor".[105] Este princípio veio a ser chamado de realismo crítico. Em contraste com o realismo ingênuo, que diz que o mundo é somente como se nos aparece, o realismo crítico diz que há um mundo real ao nosso redor, mas que somente podemos conhecê-lo como ele aparece a seres com nosso maquinário perceptual e nossos recursos conceptuais específicos. Em conseqüência disso, o realismo crítico leva a sério a diferença que faz o próprio ato da percepção. E, aplicado à religião, defende que há uma realidade transcendente por toda nossa volta, dentro, acima e abaixo de nós, mas que só podemos conhecê-la em conformidade com nossos próprios modos humanos e limitados. Mas argumentei em favor desta idéia na primeira conferência, e você não vai querer que eu repita tudo de novo, não é mesmo?

FIL: Não. Alguns terão concordado com seu argumento, enquanto outros não. E contudo, se alguém o aceita, que conseqüências tem para minha pergunta?

JOÃO: Bem, a diferença entre haver e não haver uma realidade que é variavelmente pensada e experimentada nas formas exibidas pela história das religiões é a diferença entre a verdade de uma compreensão naturalista da religião, enquanto projeção puramente humana, *versus* uma compreensão realista-crítica da mesma, enquanto um leque de respostas humanas – e portanto culturalmente condicionadas – à realidade transcendente.

Mas por que somente um Real?

FIL: Mas por que somente *um* Real? Certamente o fato de que a religião A aponta para uma realidade inefável e a religião B indica uma realidade inefável não lhe dá o direito de inferir que há uma única realidade inefável à qual ambas estão se dirigindo. Vários críticos consideraram ser

105. São Tomás de Aquino, *Summa Theologiae*, II/II, Q. I, art 2.

esta a razão de você falar do Real no singular. Um deles diz: "Em seguida, ele argumenta que, uma vez que um incognoscível é indistinguível de outro, são ambos o mesmo".[106] Um outro retoma este tópico: "Hick cai na falácia lógica da mudança de quantificador quando aduz referências a uma realidade inefável nos textos sagrados das religiões mundiais e daí deduz que elas devem, em seu conjunto, estar se referindo ao mesmo objeto, isto é, ao Real".[107] Os críticos estão corretos?

JOÃO: É claro que estão corretos ao dizer que este seria um argumento inválido, mas estão equivocados quando o atribuem a mim. Minha razão para pensar que as diferentes religiões mundiais se referem à mesma Realidade Última por meio de seus conceitos específicos dos Deuses e Absolutos é a impressionante semelhança do estado humano transformado que é descrito dentro das diferentes tradições como um estado salvo, redimido, iluminado, sábio, desperto, libertado. Esta semelhança sugere fortemente uma fonte comum de transformação salvífica. Deste modo, parece-me que a hipótese mais razoável é aquela de um único fundamento último de toda a transformação salvífica humana, e não a hipótese que ventila uma pluralidade de fundamentos desse tipo.

FIL: Todavia, *pode ser* que haja uma pluralidade de Reais.

JOÃO: Sim, não podemos excluir tal possibilidade *a priori*. Mas, nesse caso, não seria, obviamente, uma pluralidade de últimos, pois nenhum deles seria então verdadeiramente último; teríamos, isto sim, uma pluralidade de penúltimos. Ou antes: não podemos excluir *a priori* a possibilidade de não haver nada mais último do que uma pluralidade coexistente de deidades pessoais, juntamente com o Brahman, o Tao, o Dharmakaya, Sunyata, e assim por diante. Todavia, o problema com este cenário é a dificuldade de explicar detalhadamente a relação entre estas diferentes realidades. Suponho ser possível a idéia de que Allah preside aos países muçulmanos, a Santa Trindade aos países cristãos, Vishnu e

106. Keith Ward, Truth and the Diversity of Religions, op. cit., p. 11. Veja também sua outra obra, *Religion and Revelation*, Oxford: Clarendon Press, 1994, p. 313.

107. Robert Cook, Postmodernism, pluralism and John Hick, op. cit., p. 11.

Shiva às diferentes partes da Índia, Adonai a Israel (o que dizer dos territórios ainda ocupados?), e assim sucessivamente. Seria realmente possível, porém, este tipo de politeísmo fazer sentido, especialmente hoje, quando pessoas de religiões diferentes se acham todas misturadas em tantas áreas? Por outro lado, se subsumimos todas as figuras-de-Deus sob uma única deidade monoteísta, teremos ainda o problema de que, se esta deidade é a criadora de tudo exceto Deus-mesmo, como podem haver outras realidade não-pessoais igualmente últimas? O conceito budista do processo não-pessoal do universo, *pratitya samutpada*, exclui a idéia da existência de um Deus que seria o criador universal. Alguns chegaram a sugerir um único Deus genérico e finito, juntamente com apenas um dos absolutos não-pessoais.[108] Todavia, esta seria uma teoria seletiva, e na verdade arbitrariamente seletiva, que dificilmente poderia ser justificada. Assim, há grandes problemas a confrontar a idéia de uma pluralidade de últimos. Ela não me dá a impressão de ser uma idéia promissora.

FIL: Mesmo assim: não lhe parece demasiadamente dogmático insistir na unicidade do último?

JOÃO: Bem, falando estritamente, não deveríamos insistir. Pois até mesmo o número é parte de nosso repertório conceitual humano. Aquilo que é inefável ou sem forma não tem número. Todavia, nossa linguagem é tal que somente podemos fazer referência ao Real em termos singulares ou plurais. Como escreveu Maimônides, "em nosso esforço para mostrar que Deus não inclui uma pluralidade, podemos somente

108. Essa parece ser a posição de John Cobb, Order Out of Chaos: A Philosophical Model of Inter-Religious Dialogue, in: James Kellenberger, (ed.), *Inter-Religious Models and Criteria*, London/ New York: Macmillan/St. Martin's Press, 1993. Veja também Cobb, *Beyond Dialogue*, Philadelphia: Fortress Press, 1982; Christian Witness in a Plural World, in: John Hick, Hasan Askari, (eds.), *The Experience of Religious Diversity*, London/Brookfield, Vt.: Gower, 1985); e, por fim, Towards a Christocentric Catholic Theology, in: Leonard Swidler, (ed.), *Towards a Universal Theology of Religion*, Maryknoll, N. Y.: Orbis, 1987. Para um tipo diferente mas (para mim) algo obscuro de pluralismo último, ver Raimundo Panikkar, The Jordan, the Tiber, and the Ganges, in: *The Myth of Christian Uniqueness*, Maryknoll, N. Y.: Orbis, London: SCM Press, 1987, bem como outros escritos seus, inclusive The Invisible Harmony: A Universal Theory of Religion or a Cosmic Confidence in Reality?, in: Leonard Swidler, (ed.), *Towards a Universal Theology of Religion*, op. cit..

dizer 'Ele é uno', embora 'um' e 'muitos' sejam ambos termos que servem para distinguir uma quantidade".[109] Em resposta ao mesmo problema, as escrituras hindus falam do Brahman como "o Uno sem um segundo".[110] Desse modo, quando falamos do Real, não queremos dizer que é um como algo distinto de dois, três ou mais. O Real permanece além do alcance de nossa conceptualidade humana, inclusive do conceito de número.

Realismo e escatologia

FIL: Bem, deixando isso a critério dos nossos colegas, dirijo-me agora àquela que é, ainda, uma outra área. Tem-se afirmado que seu realismo crítico é cancelado pelo que você diz a respeito da escatologia. Você distinguiu escatologias, ou conceitos do estado último, e paraescatologias, que são idéias relativas ao que acontece entre esta vida e aquele estado último.[111] Você sugere que provavelmente nenhuma das paraescatologias das diversas religiões acabarão por ser completamente verdadeiras; e declara, a respeito do próprio *eschaton*, que provavelmente se situa para além de nossas capacidades atuais de conceber ou imaginar. Alguns críticos consideram isto uma rejeição do realismo. O que você diz disso?

JOÃO: A questão diz respeito a se o agnosticismo, no tocante à natureza do estado final, constitui um uso não-realista da linguagem escatológica; e certamente não constitui. Uma compreensão não-realista da linguagem escatológica, como por exemplo a de D. Z. Phillips,[112] afirma que não há continuação da vida após a morte e que o discurso sobre a vida eterna refere-se, em vez disso, à qualidade de nossas vidas atuais – pois neste ponto ele assume uma disjunção, um "ou/ou, que exclui um dos termos. Em contraste a isto, acredito que de fato há um estado definitivo, um acabamento do projeto da existência humana para

109. Moisés Maimônides, *Guide for the Perplexed*, trad. M. Friedlander, 2. ed., London: Routledge & Kegan Paul, 1904, p. 81.

110. Chandogya Upanishad, VI. 2. 2.

111. John Hick, *Death and Eternal Life*, 1976; cf. a ed. mais recente: London/Louisville: Macmillan/Westminster, John Knox, 1994.

112. D. Z. Phillips, *Death and Immortality*, Londres: Macmillan 1970.

além desta vida, talvez para além de muitas vidas. Contudo, não professo saber de que tipo será.[113] Mas defender a tese de que há um estado final pós-morte desconhecido no presente é bem diferente de afirmar que não há nenhum estado deste tipo, independentemente da forma assumida. Seguindo o ensinamento do Buddha sobre as "questões indeterminadas", também defendo a idéia de que não precisamos saber agora a resposta para estas questões escatológicas, a fim de alcançar, ou receber, o estado de existência radicalmente novo que constitui a salvação/libertação. Isto, porém, não se traduz numa negação anti-realista da escatologia.

FIL: Não, talvez não; mas nesta mesma área também se levantou um problema, relacionado à escatologia e à verificabilidade. Deixe-me dizer, primeiramente, que alguns autores colocaram bastante ênfase nas diferenças entre o que você declarou em *Death and Eternal Life*, e o que você afirma em *An Interpretation of Religion*. Estas diferenças realmente existem?

JOÃO: Sim! Em *Death and Eternal Life* (1976), coloquei-me ao lado de Ramanuja e contra Shankara, ao especular sobre o estado escatológico definitivo. Já em *An Interpretation of Religion* (1989), convencera-me de que não estamos justificados a fazer quaisquer asserções descritivas sobre aquele estado último. Acontece que treze anos se passaram entre os dois livros, e não acho que esta crescente cautela deva ser considerada repreensível – embora, talvez, possa ter uma relação com o peso da idade!

FIL: Está bem. Dirijamo-nos, porém, a algo mais importante. Você sempre insistiu em que a linguagem religiosa não funciona somente para organizar nossos pensamentos e emoções, ou para expressar nossos ideais dominantes, mas também para fazer referência a uma ou mais realidades transcendentes. Diz que não é usada somente para expressar, mas também para referir. E como evidência em favor disso, apresentou a idéia da verificação escatológica, a fim de mostrar que a realidade do transcendente é, em princípio, capaz de verificação pela experiência.[114]

---

113. John Hick, *An Interpretation of Religion*, p. 354-5.

114. John Hick, *Faith and Knowledge*, 1957, 2. ed. reimpressa em London: Macmillan, 1988, caps. 7 e 8.

JOÃO: Sim, parece-me claro que todas as grandes religiões mundiais afirmam que, por uma implicação necessária, a partir da natureza ou estrutura do universo, a experiência humana futura será diferente, dependendo de qual interpretação da religião for correta: se a religiosa ou a naturalista. Isto porque todas as religiões ensinam que nossa vida presente é somente uma pequena parte de nossa existência total. Logo, se descobrirmos, depois de nossa morte corporal, que ainda existimos, então nossa experiência terá falsificado a hipótese naturalista.

FIL: Sim, posso aceitar isso. E posso aceitar que, se as crenças escatológicas de qualquer religião se revelarem verdadeiras, serão verificadas na experiência humana futura - embora pense que isso possa ser mais claramente o caso para as religiões teístas que para as não-teístas. Contudo, de que modo a hipótese pluralista como um todo, em algum momento, poderia ser verificada pela experiência? Como declarou um crítico seu, "a questão é se há uma situação escatológica que venha a confirmar, de modo particular, os termos da própria hipótese pluralista 'para além de toda dúvida razoável'. Que estado de coisas específico se pode prognosticar que confirmaria a fé de que existe um Real numênico por trás das tradições religiosas específicas, e que é em relação a este Real que estamos sendo salvificamente transformados rumo a uma possibilidade ilimitadamente melhor?"[115]

JOÃO: Essa é uma boa questão, no sentido de ser uma questão difícil! Ao respondê-la, sou obrigado a começar com uma distinção feita, num artigo mais antigo, com relação à crença teísta.[116] Esta é a distinção entre, de um lado, a verificação simples e direta, e de outro lado, a complexa e indireta. Por exemplo: a proposição "há uma cadeira na próxima sala" pode ser verificada por uma única observação, enquanto que a

115. S. Mark Heim, The Pluralistic Hypothesis, Realism and Post-Eschatology, *Religious Studies*, v. 28, n. 2, jun. 1992, p. 212. O problema é posto por Gavin D'Costa no seu capítulo Problems in the Philosophy of Religion, op. cit..

116. John Hick, Eschatological Verification Reconsidered, *Religious Studies*, v. 13, n. 2, jun. 1977, reeditado em *Problems of Religious Pluralism*, London/New York: Macmillan/St. Martin's Press, 1985.

proposição "Jones é um homem honesto" somente pode ser confirmada progressivamente, numa série de observações que se desdobram ao longo do tempo, até se chegar ao ponto em que já não resta nenhuma dúvida razoável – este ponto constituindo, num caso deste tipo, a verificação. Ora, no teísmo tradicional, Deus é definido como infinito, e por isso incapaz de ser observado em qualquer observação finita ou em quaisquer séries de observações. Conseqüentemente, eu sugeria que "a proposição cuja verificação escatológica deveríamos considerar não é 'Deus existe', dado que tal proposição trata a existência divina como um fato isolável e demarcado. O que estamos buscando verificar é a verdade da interpretação teísta do processo do universo, e este *verificandum* acha-se concretamente incluído numa proposição mais complexa do tipo 'o relato teísta do caráter do universo, bem como daquilo que está acontecendo em sua história, é verdadeira'."[117]

O mesmo princípio aplica-se à hipótese pluralista, só que de modo mais acentuado! Não se discute a possibilidade de observar diretamente o Real *an sich*. O que tem de ser confirmado progressivamente, até a exclusão de uma dúvida razoável, é que a hipótese pluralista acomoda de modo mais completo, e com maior economia conceptual do que hipóteses alternativas, a variedade de experiência religiosa relatada.

Neste aspecto, a hipótese pluralista é análoga a uma hipótese científica de larga escala – por exemplo, à teoria da evolução, ou às cosmologias da expansão do estado fixo do universo. Estas hipóteses não podem ser verificadas de forma decisiva se forem verdadeiras, mas são passíveis de falsificação se forem falsas. O máximo que se pode exigir dessas teorias atualmente aceitas, mas falsificáveis-se-falsas – e aqui estou, é óbvio, seguindo Karl Popper[118] – é que elas acomodam os fatos de forma mais abrangente e com maior simplicidade do que teorias alternativas que tenham o mesmo âmbito. Logo, a evolução biológica e a teoria da expansão do

---

117. John Hick, *Problems of Religious Pluralism*, op. cit., p. 116.

118. Karl Popper, *The Logic of Scientific Discovery*, 1935; fiz uso da edição de New York: Basic Books, 1959.

universo suportam, na atualidade, este teste, ao passo que a teoria do estado fixo do universo não. No âmbito religioso, a hipótese pluralista é proposta como teoria mais abrangente e econômica, desde um ponto de vista religioso e não-naturalista, para compreender os fenômenos da experiência religiosa. Assim como acontece com outras teorias de grande escala, a hipótese pluralista não é passível de verificação experiencial direta se verdadeira; mas, como qualquer teoria genuína, é passível de falsificação pela experiência se for falsa. Esta falsificação seria escatológica. Caso se descubra, por exemplo, que qualquer um dos sistemas de crença rivais das religiões particulares é verdadeiro em detrimento dos outros, isto falsificaria a hipótese pluralista. Para dar um exemplo bem vívido: se a versão agostiniana do cristianismo revelar-se a correta, e, depois de um juízo levado a cabo pelo Cristo ressurreto, uma pequena minoria de homens e mulheres gozarem da presença da Bem-Aventurada Trindade, enquanto a vasta maioria for entregue aos fogos do inferno, ficará evidenciado o fato de que a hipótese pluralista era falsa!

FIL: Está bem. Então você consegue dizer o que, escatologicamente, falsificaria o pluralismo religioso. Mas também pode dizer o que, escatologicamente, *não* o falsificaria, sendo, pelo contrário, cumulativamente compatível com ele, ao ponto de, desse modo, confirmá-lo progressivamente?

JOÃO: Bem, é possível, sempre que se queira fazê-lo, criar cenários especulativos do pós-morte, cenários que implicam um desenvolvimento futuro no qual, a certa altura, podemos ver em retrospectiva que as religiões terrenas foram inestimáveis auxiliares num estágio inicial, embora suplantadas posteriormente por uma visão mais abrangente. Todavia, não é necessário produzir tais cenários; e uma vez que não podem ser mais que especulações, parece-me melhor, no todo, não percorrer esse caminho.

FIL: Então, qual é o caminho percorrido por você?

JOÃO: Um caminho mais holístico. Lembre-se que estamos falando a partir da fé religiosa básica de que a experiência religiosa não é pura projeção, mas é, ao mesmo tempo, nossa resposta humana a uma realidade transcendente. Ampliei esta convicção à luz dos fatos da diversidade religiosa, dizendo que, ao passo que suas formas específicas são dadas por nossas diversas culturas religiosas, este modo de experiência é igualmente uma resposta cognitiva à natureza última da realidade. Deste modo, dentro desse círculo ampliado da fé, proponho a hipótese segundo a qual os diferentes e principais objetos ou conteúdos da experiência religiosa – Adonai, a Santa Trindade, Allah, Vishnu, Shiva, Brahman, Nirvana, o Tao, e assim por diante – são manifestações para formas diferentes de consciência humana daquilo que é sumamente real. Esta hipótese, como uma interpretação da pluralidade de formas de experiência religiosa, será falsificada se *(a)* a fé religiosa básica vier mostrar-se correta embora *(b)* esta hipótese particular sobre diversidade religiosa venha a mostrar-se errônea. Por conseguinte, é uma hipótese genuína. Ela pode ser verdadeira; e sustento que, a partir do nosso atual ponto de vista, proporciona a melhor explicação religiosa disponível dos fatos.

FIL: Então você agora está abandonando, finalmente, a idéia da verificabilidade em oposição a de falsificabilidade?

JOÃO: Sim e não. Sim, no sentido de que o Real, enquanto natureza última da realidade, não é postulado como uma entidade que em algum momento poderia ser observada, mesmo numa condição escatológica final – razão pela qual a idéia de verificação experiencial direta não se aplica neste caso. Mas não, no sentido de que a estrutura da realidade, à medida em que nos afeta, a nós, seres humanos, pode ser progressivamente experimentada, e isso a tal ponto que se torna possível nela descobrir características tais que a hipótese pluralista se apresente como a melhor descrição do universo que podemos formular – sempre, é claro, que possa acomodar todos os fatos por nós conhecidos, não sendo contraditada pelo desenvolvimento futuro de nossa experiência humana.

Critérios

FIL: Bem, por ora, deixarei isso de lado, e passarei à questão dos critérios, surgida anteriormente e por nós protelada, quando você disse que "um mito verdadeiro é uma resposta *apropriada* ao Real". É claro que deve haver algum critério para definir o que é apropriado. Além disso, você diz que podemos criticar, e algumas vezes condenar por completo, aspectos de cada uma das religiões; e também que podemos formar um juízo de que as grandes religiões mundiais são, enquanto totalidades, contextos de salvação/libertação mais ou menos efetivos, e isso por igual. Mas que critério usa quando diz isso, e de onde você o derivou?

JOÃO: Considero que a função da religião é a de facilitar o que chamo de salvação/libertação. Por isso, entendo a transformação da existência humana que leva de um autocentramento a um novo centramento no Real – o que na prática significa, é claro, o Real que é conhecido de um modo particular dentro de alguma tradição particular. Portanto, o critério pelo qual se julga tanto a tradição como um todo quanto seus elementos constitutivos, inclusive suas doutrinas, é de tipo soteriológico. O nó da questão está na eficácia com que as tradições religiosas promovem esta transformação salvífica.

FIL: Tudo bem. Então agora a questão seria como podemos saber quando esta transformação está acontecendo? "Pelos seus frutos", você disse. E contudo isto é, nas palavras de um autor, um "critério tão mole que facilmente se pode esmagar!"[119]

JOÃO: Sim, gosto dessa expressão! Certamente é um critério "mole" e não "duro", no sentido de que não se aplica a nada que possa ser medido com precisão. Penso, porém, que de fato todos fazemos uso dele. Não aceitaríamos as credenciais de um pregador, profeta ou guru que notamos ser egoísta, cruel, interessado por dinheiro ou cheio de ressentimento e ódio. Ninguém, por exemplo, pensaria que Jesus era um filho de Deus se pensassem, ao mesmo tempo, que era egoísta, enganador, aproveitador e malicioso. Todos operamos com um critério moral implícito ou explícito. Sam Keen chama isso vividamente de nosso "detetor de asneiras espirituais".[120]

119. Ninian Smart, in: *God, Truth and Reality*, op. cit., p. 181.

120. Sam Keen, *Hymns to an Unknown God*, New York/London: Bantam Books, 1994, p. 110s.

Nem sempre é fácil acioná-lo. Com um pouco de cuidado, porém, podemos distinguir entre os impostores e aqueles indivíduos que estão genuinamente bem avançados na transformação salvífica. São estas as pessoas (ou melhor, algumas das pessoas) que chamamos de santos, jivanmuktas, arahats, bodhisattvas, mahatmas. E quando as identificamos, fazemo-lo por meio de critérios éticos num sentido amplo.

FIL: "Éticos num sentido amplo"?

JOÃO: Bem, alguns prefeririam usar o termo "espiritual" para uma parte daquilo que chamo de "ético". As pessoas que considero santas são tremendamente despreocupadas consigo mesmas, e vivem ocupadas em servir a Deus ou em viver o Dharma ou o Tao, ou ainda em realizar a natureza universal de Buddha; vemos em suas vidas um amor e uma compaixão desinteressados que todos reconhecemos como intrinsecamente valiosos, a tal ponto que, de fato, e com freqüência, nos inspiram reverência.

FIL: Sim, mas como sabe que o amor e a compaixão são, para usar uma palavra sua, a resposta *apropriada* ao Real?

JOÃO: Porque todas as grandes tradições ensinam isto, e eu as considero respostas autênticas ao Real. Todas ensinam o ideal de buscar o bem dos outros na mesma proporção que o próprio. Temos citações, por exemplo, do budismo: "Assim como uma mãe cuida de seu filho todos os seus dias, também a mente do homem deveria abraçar e cuidar de todas as coisas vivas";[121] do hinduísmo: "Jamais se deveria fazer ao outro aquilo que se considera nocivo a si mesmo. Esta é, em resumo, a norma da Justiça";[122] do confucionismo: "Não faças aos outros o que não gostarias que te fizessem";[123] do taoísmo: o bom homem "considerará as vantagens [dos outros] como se fossem suas, e do mesmo modo as perdas dos outros";[124] do cristianismo: "Assim como quereis que os homens vos

121. Sutta Nipata, 149.

122. *Mahabharata*, Anushama parva, 113.7.

123. *Analecta*, XII. 2.

124. Thai Shang, 3.

façam, fazei-lhes também o mesmo";[125] do judaísmo: "O que te é detestável, não o faças ao teu próximo. Esse é o todo da Torá";[126] e do islamismo: "Ninguém é um verdadeiro crente a não ser que deseje para seu irmão o que deseja para si mesmo".[127]

FIL: Mas você não acaba de produzir um argumento circular?[128] Inicia com a suposição de que estas várias tradições são respostas autênticas ao Real, e em seguida usa seus ensinamentos morais como o critério pelo qual julga que elas *são* respostas autênticas do Real! Não é este um círculo claramente vicioso?

JOÃO: Trata-se de um círculo, concordo; mas é um círculo do tipo que qualquer visão abrangente inevitavelmente implica. Se você defende, por exemplo, uma visão naturalista do universo, tem de usar pressupostos naturalistas para apoiá-la. Ou, se sustenta que o cristianismo é a única fé verdadeira, inevitavelmente irá usar critérios especiais do cristianismo para estabelecer tal visão. Não existem formas não-circulares de estabelecer posições fundamentais.

FIL: Isso parece-me um tanto teórico. Pode tornar este argumento um pouco mais convincente?

JOÃO: Bem, deixe-me dizê-lo com outras palavras. Ao propor uma interpretação religiosa, em contraposição a uma interpretação naturalista da religião, estou falando desde dentro do círculo da fé religiosa, e não professo estar estabelecendo a validade daquela fé. Não me refiro com isso à fé específica de uma tradição, mas à convicção básica, comum a todas as grandes tradições, de que a experiência religiosa não é simplesmente projeção humana, mas é, ao mesmo tempo, uma resposta cognitiva a uma realidade transcendente que possui importância ilimitada para nós. Há um critério implícito operando aqui, pois dentro desta fé básica

125. Lucas 6. 31.

126. Talmude da Babilônia, Shabbath 31a.

127. Hadith, *Muslim*, capítulo sobre *iman*, 71-2.

128. Ver, p. ex., Timothy R. Stinnett, John Hick's Pluralistic Theory of Religion, *The Journal of Religion*, v. 7, n. 4, out. 1990, p. 586.

nem todas as formas de religião, incluindo-se aí, por exemplo, o satanismo ou os movimentos de Jonestown e Waco, são tidas como respostas autênticas ao Real. Penso estar claro que este critério implícito tem por foco os "frutos" observáveis na vida humana. Esse critério é parte constitutiva da fé religiosa básica, e esta fé como um todo constitui um círculo no sentido de que não pode ser estabelecida de maneira independente.

Deixe-me apenas acrescentar a esta situação a analogia familiar, visível na aceitação normal, de nossa parte, de nossa experiência sensorial comum. Vivemos todo o tempo por meio da fé no caráter cognitivo da percepção sensorial, e esta fé inclui critérios implícitos pelos quais distinguimos as percepções genuínas, por um lado, e as alucinações, sonhos e ilusões, por outro. Não existe, contudo, um modo não-circular de mostrar que a percepção sensorial, definida por estes critérios, é de fato verídica, uma vez que qualquer evidência a que apelamos deve obrigatoriamente consistir de tantos outros momentos da percepção sensorial. Este tipo de circularidade é simplesmente inevitável, seja com relação à experiência sensorial, seja à experiência religiosa.

Salvação/libertação social

FIL: Bem, deixarei aos nossos colegas a decisão a este respeito. Mas uma outra idéia me ocorre. Até agora você falou de salvação/libertação predominantemente em termos individuais. Mas o que dizer das sociedades? Afinal de contas, não somos unidades isoladas, mas sempre membros de uma sociedade e da sociedade humana que se estende mundo afora.

JOÃO: Sim, e um dos fatos tristes da vida é que a bondade e o amor se alojam com uma dificuldade muito maior nas estruturas sociais de longa duração que o egoísmo e a ganância. Reinhold Niebuhr apontou para este fato ao falar do "homem moral e da sociedade imoral".[129] Contudo, em décadas recentes tem ocorrido um desenvolvimento interessante nas formas típicas de santidade. Em eras anteriores, as grandes

---

129. Reinhold Niebuhr, *Moral Man and Immoral Society*, New York: Charles Scribner's Sons, 1941; Edinburgh: T. & T. Clark, 1980.

estruturas econômicas e políticas eram tidas como algo dado, assim como a paisagem ou o clima, e vistas como, em última análise, organizadas por Deus. Em consonância com isso, a santidade por via de regra tinha de assumir formas puramente pessoais, incluindo atos de caridade individual. Mas, a partir da obra de Marx, no século XIX, aquilo que podemos chamar de "consciência sociológica" se desenvolveu e veio a tornar-se generalizada. Sabemos agora que estas estruturas circunstanciais podem ser analisadas, compreendidas e modificadas de acordo com propósitos. Em conseqüência, a forma mais típica de santidade hoje em dia é política. Como disse Harvey Cox, "o mundo tomou o lugar do deserto enquanto terreno clássico de testes da santidade e da purificação".[130] O maior santo político do nosso século foi, certamente, Gandhi, para quem o serviço à Verdade – termo que ele não entendia no sentido de verdades proposicionais, mas como *sat*, o Real – incluía tanto a transformação interior dos indivíduos como a transformação da sociedade por meios não violentos, primeiro na África do Sul e, depois, na Índia. Lembramos também de Martin Luther King, nos Estados Unidos; do Bispo Romero, em El Salvador e de Dom Hélder Câmara, no Brasil, bem como de outros praticantes da teologia da libertação na América do Sul, e de Nelson Mandela e Desmond Tutu, na África do Sul; e de tantos outros que doaram e continuam doando suas energias, e às vezes as próprias vidas, no trabalho em favor da justiça e paz na Terra. Esta é a forma tipicamente contemporânea assumida pela transformação dos seres humanos que os conduz de um autocentramento a uma nova orientação, centrada no Transcendente.

FIL: Mesmo apesar do fato de que muitos dos que desta maneira ofertam seu tempo e energias serem pessoas não-religiosas? Afinal, muitos deles – talvez até a maioria – ou são humanistas ou marxistas. Será então que também estão respondendo ao Real, mas sem sabê-lo?

JOÃO: Sim, de um ponto de vista religioso, estão. Eles sentem a

---

130. Harvey Cox, in: Arvind Sharma (ed.), *Our Religions*, New York: HarperCollins, 1993, p. 392.

presença do Real no chamado da própria consciência para trabalhar contra a exploração, o racismo, a pobreza e a fome, e para trabalhar em favor da criação da justiça e da paz na Terra.[131]

FIL: Logo, você inclui aqueles que não crêem na existência de qualquer realidade transcendente do tipo mencionado pelo crente, mas que, não obstante, trabalham desinteressadamente por um futuro humano melhor, entre aqueles que estão respondendo em suas vidas ao Real e que estão passando pela transformação salvífica. Parece-me que você é, no fim das contas, de algum modo um inclusivista!

JOÃO: E por que não? Mas é óbvio que assumir uma visão inclusivista numa área não significa que também se deva ter uma visão inclusivista em outra. Cada caso tem de ser considerado com base em seus próprios méritos.

FIL: Bem, obrigado por estas respostas. Alguns terão ficado convencidos, e outros não. Mas agora vou passar a palavra a Graça, que irá levantar questões de cunho mais teológico.

131. Duncan Forrester reclamou que minha posição implica "que não há salvação fora da religião" (cf. Professor Hick and the Universe of Faiths, *Scottish Journal of Theology*, v. 29, n. 1, fev. 1976, p. 70). Mas uma implicação deste tipo certamente não existe.

IV

Encarnação e Unicidade

Resumo

JOÃO: Da última vez que nos reunimos, eu debatia com Fil sobre a possibilidade de uma interpretação religiosa da religião ao longo dos séculos e ao redor do mundo. Sugeri que, sempre que tal interpretação não seja apenas o simples ato de acomodar as outras grandes religiões ao nosso próprio quadro de referências, ela deve falar de uma realidade transcendente última que é o fundamento e a fonte de tudo, mas que, em sua natureza mais íntima, situa-se além do alcance de nossos sistemas conceptuais humanos. Esta realidade (à qual venho me referindo como o Real) é diferentemente concebida, e portanto diferentemente experimentada nas diversas religiões mundiais, e portanto recebe diferentes respostas a partir de cada uma delas. Fil apresentou várias objeções filosóficas a esta hipótese, que foram objeto do nosso debate. E agora, creio, teremos como objeto de nossa discussão um conjunto diferente de problemas.

GRAÇA: Sim, estou interessada nas críticas de cunho mais teológico que foram dirigidas a esta idéia. É claro que há, inevitavelmente, alguma sobreposição destas críticas às questões filosóficas, mas, até onde é possível, iremos levantar novas questões. E agora estamos falando de dentro do círculo da fé especificamente cristã, não é mesmo?

JOÃO: Sim, embora para mim seja óbvio que a fé cristã não pode ser um círculo fechado no qual podemos habitar ignorando tudo o que está fora dele. Hoje em dia, temos de fazer teologia no contexto do mundo como ele é, e isso inclui nossa nova consciência das outras grandes religiões mundiais.

"Fora da Igreja não há salvação"

GRAÇA: Sim, muito embora a pergunta relativa a se este método teológico é permissível possa, por si mesma, adquirir a forma de uma questão da maior importância. Vamos, porém, considerar críticas específicas que lhe foram dirigidas. Geralmente os críticos reagem contra as implicações da hipótese pluralista, particularmente de suas implicações para as doutrinas centrais da Encarnação, da Trindade e da Reconciliação como satisfação vicária.[132] Mas, antes disso, gostaria de discutir um ponto diverso. Trata-se do dogma católico *extra ecclesiam nulla salus*, "fora da Igreja não há salvação". Você citou o pronunciamento do Papa Bonifácio VIII feito em 1302: "Somos obrigados pela fé, e defendemos que há uma única Santa Igreja, católica e apostólica; cremos firmemente nisso e o professamos sem reservas; fora dela não há nem salvação, nem remissão dos pecados. (...) Além disso, declaramos, dizemos, definimos e proclamamos que se submeter ao Pontífice Romano é, para toda criatura humana, uma necessidade absoluta para a salvação".[133] Citou também o decreto do Concílio de Florença de 1438-45, segundo o qual "ninguém que permaneça fora da Igreja Católica, não somente os pagãos, mas também os judeus ou hereges ou cismáticos, pode tomar parte na vida eterna; antes, todos estes irão para 'o fogo eterno que foi preparado para o demônio e seus anjos', a não ser que antes do fim de suas vidas se unam à Igreja",[134] chegando à conclusão de que estas formulações dogmáticas significam que os não-cristãos vão para o inferno.

JOÃO: Sim, com efeito. Acrescentei, é claro, que "hoje a Igreja

---

132. *Atonement*, no geral "reconciliação", entendida clássica e mais especificamente como satisfação (vicária) e expiação. (N.T.)

133. Denzinger, *Enchirdion Symbolorum*, n. 468.

134. Denzinger, n. 714.

Católica Romana decididamente ultrapassou esta fase",[135] citando particularmente o Concílio Vaticano II dos anos sessenta. Todavia, o antigo dogma de que os não-cristãos irão para o inferno infelizmente ainda está vivo em círculos fundamentalistas protestantes extremados. Você provavelmente leu a mensagem do Congresso de Missão Mundial realizado em Chicago em 1960, que declarou: "Nos anos subseqüentes à guerra [isto é, desde 1945], mais de um bilhão de almas passaram à eternidade, e mais da metade destas foram para o tormento do fogo do inferno sem nem mesmo ter ouvido a respeito de Jesus Cristo, sobre quem Ele era, ou por que morreu na cruz do Calvário".[136]

GRAÇA: Mas será que alguém pensa dessa maneira hoje em dia?

JOÃO: Temo que sim. Um filósofo cristão evangelical proeminente diz que "se levarmos a Escritura a sério, precisamos admitir que a grande maioria das pessoas no mundo estão condenadas e estarão perdidas para sempre, mesmo que, em alguns casos relativamente raros, uma pessoa possa ser salva por sua resposta à luz que possui à parte da revelação".[137] Ele busca reconciliar tal sentença de condenação com o infinito amor divino sugerindo que, uma vez que Deus tem um "conhecimento médio",[138] isto é, uma vez que Ele sabe o que cada um *faria* em todas as circunstâncias possíveis, segue-se que "se houvesse uma pessoa que teria respondido ao Evangelho caso o tivesse ouvido, então Deus, em Seu amor, teria trazido o Evangelho a esta pessoa. (...) Deus, em Sua providência, organizou o mundo de tal modo que, à medida em que o Evangelho se espargiu, deixando suas raízes históricas na Palestina do primeiro século,

---

135. John Hick, *God Has Many Names*, Philadelphia: Westminster Press, 1982, p. 30.

136. Cf. J.O. Percy, (ed.), *Facing the Unfinished Task*, Grand Rapids, Mich.: Eerdmans, 1961, p. 9. Para uma discussão recente sobre as diferentes perspectivas evangelicais que tratam do destino dos não-convertidos, cf. W. Gary Phillips, Evangelicals and Pluralism: Current Options, in: *Proceedings of the Wheaton College Theology Conference*, v. 1, primavera de 1991.

137. William Lane Craig, "No Other Name": a Middle Knowledge Perspective on the Exclusivity of Salvation through Christ, *Faith and Philosophy*, v. 6, n. 2, abr. 1989, p. 176. Cf. também v. 8, n. 3, jul. 1991 e v. 10, n. 2, abr. 1993.

138. No original, *middle knowledge*. (N.T.)

todos que responderiam ao Evangelho, se o ouvissem, acabaram por ouvi-lo e ainda o ouvem".[139]

GRAÇA: Quer dizer que Deus sabe, no que diz respeito a todos os milhões de pessoas que não ouviram o Evangelho, que, se o *ouvissem*, acabariam por rejeitá-lo – razão pela qual é certo e justo que vão para o inferno?

JOÃO: Sim, aparentemente sim. Diz Craig: "Deus, em Sua providência, organizou o mundo de tal modo que se alguém quisesse receber Cristo teria a oportunidade de fazê-lo".[140] Assim sendo, Deus tinha conhecimento, quanto às centenas de milhões de homens, mulheres e crianças que viviam na China, Índia, África, Austrália e no resto do mundo antes do moderno movimento missionário, que cada um e cada uma delas teria rejeitado o Evangelho se dele tivessem ouvido falar! Podemos, porém, realmente declarar, simplesmente com base no fato de que não ouviram o evangelho cristão, que todos estes milhões de homens e mulheres mereceram ir para o inferno eterno? Não se trata aqui de um dogmatismo *a priori* do tipo mais cego e insensível?

GRAÇA: Sim, tenho que concordar com você neste ponto. Mas retornando à doutrina católica do *extra ecclesiam*, isto não impediu a Igreja de acreditar na salvação dos patriarcas do Antigo Testamento, pessoas que obviamente não eram membros da Igreja visível. O ponto essencial do dogma é, com certeza, o de que "toda graça, e logo a salvação, está relacionada a Cristo e, portanto, à sua Igreja".[141] Todavia, o poder salvífico de Cristo se estende para além do círculo daqueles que o conhecem explicitamente. Ademais, a Igreja primitiva freqüentemente possuía uma visão mais generosa com relação aos não-cristãos do que a Igreja medieval, cujos pronunciamentos você citou.[142] Concorda com isso?

---

139. Ibid., p. 185.

140. Ibid., p. 186.

141. Gavin D'Costa, in: Ian Hamnett, (ed.), *Religious Pluralism and Unbelief*, London/New York: Routledge, 1990, p. 130.

142. Por ex.: "Aqueles que vivem de acordo com o Logos são cristãos, não obstante o fato de

JOÃO: Sim, houve uma fase muito mais aberta e mais experimental do pensamento cristão antes que a Igreja e o Império se unissem, impondo uma ortodoxia rígida.

GRAÇA: Além disso, alguns sustentam que o dogma *extra ecclesiam* absolutamente não tinha o objetivo de responder à questão das religiões não-cristãs como tais. Você aceitaria também esta conclusão?

JOÃO: Em certo sentido, esta é uma conclusão inevitável, já que nosso moderno conceito de religião, entendida como uma entidade sócio-religiosa oposta a outras entidades de tipo similar, ainda não se tinha desenvolvido – como mostrou Wilfred Cantwell Smith em seu estudo clássico *The Meaning and End of Religion*.[143] Por outro lado, o dogma com certeza foi dirigido às pessoas daquelas religiões. O Papa Bonifácio falou da necessidade de "toda criatura humana" tornar-se cristã como de "uma necessidade absoluta para a salvação"; e o Concílio de Florença falou a respeito dos "pagãos", termo que significava não-cristãos (com a exceção dos judeus) em geral,[144] mas também de judeus e cristãos heréticos e cismáticos, reservando-lhes, como destino, o inferno. Assim, não acho que seja possível esquivar-se da horrenda implicação do dogma medieval, embora tal implicação não tenha sido concebida no contexto de nossos debates contemporâneos.

GRAÇA: Bem, como uma tentativa de sofismar aquilo que você chama "horrenda implicação", um autor escreveu que "heréticos, cismáticos e judeus pertenciam a uma única categoria – a categoria daqueles que tinham ouvido a respeito de Cristo de modo apropriado, mas o rejeitaram, cada um de uma maneira diferente. Neste sentido, estava claro

---

passarem como ateus entre vós; dentre os gregos, foram tais Sócrates e Heráclito (...) " (Justino Mártir, *Primeira Apologia*, 46); "O que agora se costuma chamar de religião cristã existiu entre os antigos, e não estava ausente nos inícios da raça humana até o ponto em que Cristo veio na carne; a partir deste momento, a verdadeira religião, que já existia, começou a ser chamada de cristã" (Santo Agostinho, *Retratações*, I, 113).

143. Wilfred Cantwell Smith, *The Meaning and End of Religion*, 1962; London/Minneapolis: SPCK/Fortress Press, 1991.

144. O *Oxford English Dictionary* cita escritores do século XV, contemporâneos do Concílio de Florença, que entendiam pela expressão "pagãos" pessoas com uma falsa religião, ou seja, com uma religião não-cristã.

para os Padres do Concílio que não havia salvação para aqueles 'fora da Igreja'. Mais tarde, também ficou claro que esta afirmação não constituía, em primeiro lugar, um julgamento pessoal sobre o destino de alguém – e por isso o axioma pôde ser visto como uma regra gramatical, e não como uma proposição condenatória".[145] Isso ajuda em algum sentido?

JOÃO: Bem, primeiramente, não devemos esquecer que o termo "pagãos", incluiria budistas, hindus, jainistas, zoroastristas, taoístas, confucionistas e todos que são membros das religiões primordiais. Se o termo "pagãos" incluiria ou não os muçulmanos, ou se estes constariam na rubrica dos hereges (pois Muhammad era considerado, por alguns, um apóstata cristão) é um ponto discutível; mas de qualquer modo todos estão condenados ao inferno com o resto, dezenas de milhões de pessoas. E haveria pouco consolo para os judeus, ou para os hereges e cismáticos cristãos, todos ardendo no fogo do inferno, no fato de que o Decreto do Concílio era apenas uma regra gramatical! Fosse eu um católico, deixaria a velha fórmula do *extra ecclesiam* trasladar-se silenciosamente para o museu dos dogmas defuntos, ao invés de revivê-la e tentar defendê-la na atualidade. Foi uma formulação profundamente infeliz, e com certeza é melhor que seja esquecida em nossos dias.

GRAÇA: Deixarei isso a critério dos nossos amigos católicos. Passemos agora às implicações do pluralismo religioso. Estas implicações são bem drásticas, não concorda comigo?

JOÃO: Sim, ao menos em relação à estrutura tradicional da teologia cristã.

GRAÇA: Bem, para começar com a doutrina da encarnação, que problema você vê nisso?

A pretensão de superioridade única do cristianismo

JOÃO: A doutrina da encarnação, assim como é tradicionalmente entendida, diz-nos – não é mesmo? – que o indivíduo histórico Jesus de

---

145. Gavin D'Costa, *Religious Pluralism and Unbelief*, op. cit., p. 135-6.

Nazaré era o Deus Filho, a segunda pessoa de uma Trindade divina encarnada; era plenamente e autenticamente homem, e plenamente e autenticamente Deus, e como tal tinha duas naturezas, uma humana e outra divina. Isso conduz, em minha opinião, diretamente à suposição, por mim questionada em minha conferência, da superioridade única do cristianismo. A doutrina da encarnação tem por implicação que a religião cristã foi a única entre as religiões do mundo a ser fundada por Deus em pessoa – pois faz parte da ortodoxia tradicional a afirmação de que houve somente uma encarnação, e que Jesus, que era Deus encarnado, instituiu a Igreja cristã. E parece óbvio que, tendo vindo à Terra para fundar uma nova religião, Deus devia ter por intenção que esta suplantasse todas as outras religiões e abarcasse toda a raça humana. Mas isso é claramente incompatível com uma compreensão pluralista do cristianismo, entendido como uma resposta salvífica entre outras à Realidade Última que chamamos de Deus.

GRAÇA: Você está certo. Várias pessoas, porém, sugeriram modos com os quais podemos continuar a sustentar que Jesus era Deus encarnado sem reivindicar superioridade para o cristianismo; e acho que devemos considerar tais modos. Suponho que você pelo menos concordaria com a idéia de que um cristão tradicionalmente ortodoxo não precisa adotar uma atitude arrogante e depreciativa para com os adeptos de outras religiões. Ou não? Certamente este cristão ou cristã pode tê-los em alta conta, amá-los, ter um grande respeito por eles, dialogar com eles em atitude cortês, aprender deles e vê-los como filhos de Deus tão autênticos quanto os cristãos.

JOÃO: Sim, é claro; e muitos o fazem. Não estou falando aqui de atitudes pessoais, mas sobre a lógica das crenças. Parece-me que a crença de que somente o cristianismo, entre todas as religiões do mundo, foi fundado por Deus em pessoa, implica sua incomparável superioridade, apesar de muitos cristãos educadamente deixarem de dizê-lo em seus contatos com judeus, muçulmanos, hindus, budistas, e assim por diante. Mas quais são os expedientes que você tem em mente para evitar esta implicação lógica?

GRAÇA: Há vários, todos variações do tema do Logos, a Palavra de Deus, que atua universalmente buscando levar homens e mulheres a Deus. Em seu conjunto, as variações sustentam que o Logos, que se tornou encarnado como Jesus Cristo, está ativo dentro das outras religiões de maneiras diferentes - mas nem por isso menos válidas -, de sorte que o cristianismo não é necessariamente superior às outras religiões.

JOÃO: Acho que isso precisa ser explicado detalhadamente. O que exatamente eles têm em mente?

GRAÇA: A versão mais veemente - que não vi impressa, mas ouvi vez por outra em discussões - é a idéia de uma pluralidade de encarnações divinas. Afinal de contas, um teólogo do porte de Tomás de Aquino defendeu a tese de que isto é teoricamente possível[146] - embora não se tenha, até onde sei, assumido esta idéia na teologia ortodoxa. Presumivelmente, porém, implicaria que o Logos se tornou carne não só como Jesus de Nazaré, mas também na figura dos fundadores das outras grandes religiões mundiais, ou pelo menos em algumas delas.

JOÃO: Você se refere a figuras tais como Abraão e Moisés, Gautama, Buddha, e Muhammad?

GRAÇA: Sim, embora seja provável que muitos de nós cristãos, com a tremenda carga de preconceitos e equívocos herdados quanto ao profeta do Islã, achássemos difícil pensar nele como numa encarnação divina.

JOÃO: E, como é natural, o próprio Muhammad certamente teria considerado a idéia uma blasfêmia.[147]

GRAÇA: Sim; mas, seja como for, a lista poderia ter de incluir aqueles cinco e talvez também Lao Tsé, o fundador do taoísmo; Mahavira, o fundador do jainismo; e Guru Nanak, fundador do siquismo ... mas é uma boa pergunta a que indaga pelos limites e extensão desta lista. Iria

---

146. São Tomás de Aquino, *Summa Theologiae*, Parte IIa, Q 3-4.

147. Diferentemente do cristianismo, para o qual o Logos (o Verbo, ou Palavra) se fez carne, para o Islã, fez-se Livro, o Alcorão. O mesmo se dá em relação ao Decálogo recebido por Moisés no Sinai. Embora Jesus seja considerado, para o Islã, um profeta - que manifestou, no Evangelho, o mesmo Logos presente no Alcorão e no Decálogo -, a idéia de Logos encarnado é inconcebível. (N.E.)

ela incluir Shinran, o fundador do budismo amida; Joseph Smith, o fundador dos mórmons; Mary Baker Eddy, a fundadora da ciência cristã; o reverendo Sun-Myung-Moon, fundador da Igreja da Unificação - e assim por diante? Suspeito que este procedimento de especificar as encarnações divinas acabaria se mostrando embaraçosamente difícil. Logo, não insisto nesta opção.

JOÃO: Acho que nisso você demonstra sabedoria. Mas, à parte a dificuldade mencionada, há um problema que considero ainda mais fundamental, que deveremos enfrentar dentro em pouco: o de atribuir um significado concreto à idéia de que qualquer indivíduo histórico é literalmente um ser humano e literalmente Deus.

GRAÇA: Sim, mas isso tem implicações em mais de uma direção e para mais de uma religião. Existem outras religiões que, como o cristianismo, falam de encarnações divinas - desde as encarnações paleolíticas de espíritos desenhados numa caverna de Trois Frères até as encarnações xamanistas de seres divinos, as antigas esperanças iranianas de uma encarnação do Mithra, a antiga crença egípcia e japonesa de que o rei era Deus encarnado, a concepção budista do Siddhartha Gautama histórico como encarnação do Buddha celeste e a crença hindu nas muitas encarnações de Vishnu, encarnações cuja lista parece bastante aberta.[148] Nos tempos modernos, Sri Ramakrishna foi considerado por muitos hindus um exemplo deste tipo de encarnação, e o mesmo ocorreu, mais recentemente, com Mahtma Gandhi. Presumo que, uma vez assumida a incoerência da própria idéia de um indivíduo histórico plenamente humano e plenamente divino, isso também se aplica fora do cristianismo. Estou certa?

JOÃO: Sim, é claro, embora eu não pense que a doutrina hindu dos muitos avatares de Vishnu, ou a doutrina *mahayana* da *trikaya* - segundo a qual os budas celestiais do sambhogakaya se encarnam na condição de budas terrenos do nirmanakaya - impliquem um conceito das duas naturezas idêntico ao adotado pela Igreja no Concílio de Calcedônia.

---

148. Cf., p. ex., o verbete "Incarnation", in: Mircea Eliade, (ed.), *Encyclopedia of Religion*, v. 7, New York/London: Macmillan/Collier Macmillan, 1987.

Mas certamente o argumento segundo o qual esta doutrina de tipo calcedônio é incoerente se aplica tanto fora como dentro do cristianismo.

GRAÇA: De qualquer modo, ninguém no mundo cristão parece querer insistir na idéia das encarnações plurais. Uma concepção menos dramática tem por foco a atividade universal do Espírito Santo ou do Logos divino como atividade que inspira as grandes figuras religiosas de outras tradições, bem como seus adeptos comuns, na medida em que estes estão abertos a semelhante inspiração. De acordo com isso, um autor afirma que a doutrina da Trindade "facilita uma abertura às religiões mundiais, pois a atividade do Espírito não pode ficar confinada ao cristianismo",[149] ao passo que uma outra variação do mesmo tema assegura que "Deus, através de Cristo, opera a partir de dentro de suas tradições [ou melhor, "da maioria das tradições não-cristãs"] e atrai todos e todas em sua direção".[150]

JOÃO: E tal atividade é tida como tão válida, em termos religiosos, quanto a encarnação do Logos em Jesus Cristo?

GRAÇA: Provavelmente não, porque o primeiro autor por mim mencionado conclui dizendo que "o Deus que redime é sempre e em todo lugar o Deus triúno revelado em Cristo",[151] e que "Jesus é o critério normativo para Deus, embora não exclua a contínua auto-revelação de Deus na história através do Espírito".[152] E o segundo autor diz: "Bem podemos permitir-nos falar do Cristo desconhecido do hinduísmo e não obstante expressar nosso firme compromisso com ele enquanto foco definitivo de um desvelamento do Deus inescrutável por ele chamado de Pai".[153]

JOÃO: Parece, então, que a revelação cristã ainda é normativa, e nesse sentido superior a todas as outras. Mas isso chega a causar uma surpresa? Não deveria isto, afinal, ser a verdade quanto a todas as formas

---

149. Gavin D'Costa, in: *Christian Uniqueness Reconsidered*, op. cit., p. 17.

150. Julius Lipner, Does Copernicus Help?, *Religious Studies*, v. 13, n. 2, jun. 1977, p. 258.

151. D'Costa, in: *Christian Uniqueness Reconsidered*, op. cit., p. 17.

152. D'Costa, ibid., p. 23.

153. Lipner, Does Copernicus Help?, p. 257.

de inclusivismo cristão, até mesmo quando seus defensores se mostram ansiosos por ocultá-la?

GRAÇA: Mas acho que os inclusivistas geralmente não gostam de ouvir a palavra "superior" neste contexto.

JOÃO: Não, e não os culpo; mas nesse caso não deveriam abandonar o dogma que a provoca? Também é verdade que alguns absolutistas cristãos já começam a chamar-se de "particularistas cristãos",[154] numa tentativa de afastar a imagem mais antiga e pouco atrativa do absolutismo. Este é um bom sinal; e contudo, isto ainda não alterou a substância ou as implicações do que dizem.

Encarnação

GRAÇA: Tudo bem. Então passemos diretamente à doutrina da encarnação. Devo primeiramente confrontá-lo com a afirmação de Jesus: "Eu e o Pai somos um" (João 10.30), e "Quem vê a mim, vê o Pai" (João 14.9).

JOÃO: Sim, e neste ponto corremos o perigo de cair no abismo sem fundo da crítica bíblica! Não sou, em primeira linha, um estudioso da Bíblia, e me apóio principalmente no trabalho dos profissionais que se dedicam a este estudo em tempo integral. Penso, contudo, que é seguro dizer que há um consenso geral nos atuais estudos do Novo Testamento, sejam católicos ou protestantes, conservadores ou liberais, de que o Jesus histórico não ensinou que ele era Deus ou o Deus Filho, a segunda pessoa encarnada de uma Santa Trindade. De fato, ele provavelmente iria considerar esta uma idéia blasfema! Um dos dizeres a ele atribuídos é: "Por que me chamas de bom? Só Deus é bom e mais ninguém" (Marcos 10.18). Com muita probabilidade, o Jesus histórico considerou-se o último profeta, enviado por Deus para proclamar a vinda iminente do reino de Deus à Terra e preparar Israel para isso. Pode ter-se considerado – mas por outro é bem possível que não – o Messias ou o filho do homem do qual ouvimos em Daniel e que deveria aparecer nas nuvens do céu. A verdade

---

154. Por ex., Alister McGrath, A Particularist Approach, in: Dennis Ockholm, Timothy Phillips, (eds.), *More than One Way*? Grand Rapids, Mich.: Zondervan, 1995.

é que, depois de sua morte, e depois do evento que chamamos de sua ressurreição, o movimento de Jesus adotou ambas as idéias e acabou por fundi-las. Todavia, temos de lembrar que nenhum dos escritores do Evangelho estava entre os doze discípulos originais de Jesus, e que escreveram de quarenta a setenta anos após sua morte, usando relatos que já tinham passado por um processo considerável de seleção, adaptação e desenvolvimento ao longo deste tempo. No caso dos grandes dizeres do tipo "Eu sou", não acho que qualquer exegeta de renome nos dias de hoje sustentaria que estas são palavras do Jesus histórico. Considera-se geralmente que o Quarto Evangelho foi escrito perto do final do primeiro século, e que representa a teologia que se tinha desenvolvido naquela parte da Igreja a que pertencia o autor. Todavia, não reflete a autocompreensão do próprio Jesus, pelo menos até onde os exegetas puderam reconstruí-la a partir dos evangelhos sinóticos e extracanônicos.

GRAÇA: Bem, se Jesus não era a Segunda Pessoa da Santa Trindade vivendo uma vida humana, quem ou o que era então?

Jesus, um homem pleno do Espírito

JOÃO: Na minha opinião, ele era, inequivocamente, um homem, mas um homem aberto à presença de Deus num grau verdadeiramente impressionante e que era alimentado por uma consciência de Deus extraordinariamente intensa. Foi isso o que nele tornou Deus real para outras pessoas e revolucionou a vida de muitas pessoas que o encontraram, convocando-as a viver do modo que é natural na presença de Deus, uma vida de confiança e amor, e plena de cura e pacificação num mundo abatido e quebrantado. Penso que, se um de nós tivesse encontrado Jesus na Galiléia do primeiro século, o que mais nos teria marcado teria sido sua tremenda autoridade espiritual e seu extraordinário amor acolhedor, elementos que nos desafiariam, chamariam e capacitariam a entrar nesta vida nova. Na condição de judeus do primeiro século, não teríamos pensado por um único momento que ele era Javé ou um Filho de uma Trindade, embora bem pudéssemos, por meio da familiar metáfora hebraica, ter pensado a seu respeito como um filho de Deus. Pois teríamos reconhecido que ele estava muito mais próximo de Deus do que nós mesmos, e, espero, teríamos respondido aceitando-o como nosso senhor, ou, em termos orientais, nosso guru, aquele a quem seguimos e obedecemos.

GRAÇA: Este é o modo como você o imagina. Mas pode realmente estar certo de que ele realmente era assim?

JOÃO: Não, não posso. De fato, ninguém pode estar certo de que ele era assim como o descrevem. Toda a história do estudo do Novo Testamento mostra que o material sempre está aberto a uma série de interpretações variantes. Cada descrição de Jesus necessariamente se baseia numa seleção a partir dos dados. E minha própria descrição baseia-se em minha seleção, guiada por muitos fatores, inclusive por meu conhecimento de alguns indivíduos assaz impressionantes em termos espirituais e minha leitura a respeito de tantos outros.

GRAÇA: Mas se Jesus era um ser humano comum, ou mesmo "fora do comum", qual, em sua opinião, foi a mensagem pregada por ele?

JOÃO: Parece que ele partilhou do filão escatológico de pensamento do judaísmo de seu tempo, acreditando no fim iminente da era presente e na vinda do reino de Deus; e procurava preparar Israel para isto. De acordo com o Evangelho de Marcos, "Jesus veio para a Galiléia, proclamando a Boa-Nova de Deus: 'Completou-se o tempo, e o Reino de Deus está próximo. Convertei-vos e crede no Evangelho'" (Marcos 1.15). E, ainda de acordo com Marcos, Jesus disse: "Em verdade vos digo: alguns dos que estão aqui não provarão a morte sem antes terem visto o Reino de Deus chegar com poder" (Marcos 9.1). E o movimento original em torno de Jesus esperou, com premente expectativa, que o seu senhor de novo aparecesse para inaugurar o Reino.[155] Mas à medida que esta expectativa foi gradualmente enfraquecendo durante as décadas seguintes, ele se foi transformando na mente da Igreja, e passou da condição de

155. Por ex., Paulo caracterizou como "a palavra do Senhor" a promessa de que aqueles que estiverem vivos quando o Senhor retornar não terão precedência [no céu] sobre aqueles que já morreram (1 Tessalonicences 4.15).

profeta escatológico de Israel à de Filho de Deus semidivino, e daí, finalmente, à do Deus Filho plenamente no divino, segunda pessoa da Santa Trindade.

"Filho de Deus"

GRAÇA: Você está dando a entender que houve um desenvolvimento na idéia do filho de Deus.

JOÃO: Sim. O ponto de partida está no fato de que seres humanos proeminentes, particularmente reis, imperadores e faraós, mas também grandes filósofos e homens santos, foram muitas vezes intitulados no antigo Oriente Próximo de filhos de Deus ou homens divinos, ou, até mesmo, de deuses. E de fato, o termo "filho de Deus" era usado tanto no judaísmo antigo como no contexto mais amplo do mundo de então.

GRAÇA: No judaísmo também?

JOÃO: Sim, sem dúvida. Nas escrituras hebraicas, Israel como um todo é chamado de filho de Deus (Oséias 11.1). Anjos são chamados de filhos de Deus (Jó 38.7). E os antigos reis israelitas eram entronados como filhos de Deus. Temos registro, no Salmo 2.7, daquela que provavelmente foi a fórmula da entronização: "Tu és meu filho, hoje te gerei". Mas em termos de nossas distinções modernas, esta linguagem era claramente metafórica. Ninguém pensava que o rei Davi, por exemplo – de quem Deus disse "Eu serei para ele um pai e ele será para Mim um filho" (2 Samuel 7.14) –, fora literalmente gerado por Deus. E no Evangelho de Lucas, a genealogia de Jesus remonta até "Adão, o filho de Deus" (Lucas 3.38). Todavia, em sentido mais amplo, qualquer indivíduo eminentemente devoto entre os filhos de Israel, até o tempo de Jesus e além dele, poderia ser metaforicamente intitulado um filho de Deus. Logo, o título se aplica: Jesus era certamente um filho de Deus no sentido metafórico familiar que era corrente no mundo do seu tempo.

GRAÇA: E você acha que ele tinha esta idéia de si mesmo?

JOÃO: Diria que sim, muito provavelmente. Afinal de contas, ele chamou Deus de *Abba*, e ensinou seus discípulos a fazer o mesmo. Porém, temos de lembrar o que esta linguagem significava no mundo ao tempo de Jesus. Um estudioso razoavelmente conservador do Novo Testamento, James Dunn, pergunta, ao escrever sobre as origens cristãs: "O que teria significado, para os ouvintes, o gesto dos primeiros cristãos, que chamaram Jesus de 'filho de Deus'? Devemos todo o tempo, num estudo como este, esforçar-nos por sintonizar nossa audição a fim de ouvir com os ouvidos dos contemporâneos dos primeiros cristãos. Devemos tentar responder à tarefa extremamente difícil de calar as vozes dos antigos Patriarcas, dos concílios e dos sistematizadores do dogma ao longo dos séculos para que não abafem as vozes mais antigas no caso destas estarem dizendo algo diferente, no caso de terem tido a intenção de falar aos seus ouvintes com uma ênfase diferente".[156] E no mundo de Jesus, referir-se a ele como "filho de Deus" não significava que fosse literalmente filho de Deus, com o esperma divino entrando no óvulo de sua mãe na concepção – embora a história do nascimento a partir de uma virgem em Mateus e Lucas chegue, ao menos para o leitor moderno, perigosamente bem perto disso. O termo "filho de Deus" não era entendido literalmente, mas uma metáfora, para indicar que era alguém próximo de Deus, aberto à presença de Deus, que realizava a vontade de Deus. Foi somente mais tarde, no contexto diferente do mundo gentio, que a metáfora bem conhecida foi transformada numa doutrina metafísica.

GRAÇA: O que aconteceu, então?

JOÃO: A história em sua plenitude de detalhes é complexa e está aberta, em vários pontos, a diferentes interpretações. Foi contada em vários livros recentes e excelentes tais como, por exemplo, *From Jesus to Christ*, de Paula Fredricksen.[157] Porém, reduzindo-a a sua estrutura mais simples, conclui-se que quando a Igreja se espalhou para o mundo pagão e o cristianismo se tornou, no quarto século, a religião oficial do Império Romano, suas crenças foram remodeladas nos termos da filosofia grega

156. James D. G. Dunn, *Christology in the Making*: An Inquiry into the Origins of the Doctrine of the Incarnation, London/Philadelphia: SCM Press/Westminster Press, 1980, p. 13-14.

157. Paula Fredricksen, *From Jesus to Christ*, New Haven: Yale University Press, 1988.

que constituía a linguagem intelectual daquele tempo, e o filho de Deus metafórico tornou-se o Deus Filho metafísico, a segunda pessoa de uma Trindade divina, encarnada em duas naturezas, uma humana e outra divina. Foi isso que foi decidido nos concílios de Nicéia em 325 e Calcedônia em 451, e ficou sendo a doutrina cristã oficial desde então.

GRAÇA: E, no entanto, você quer negar isso?

JOÃO: Sim, sou apenas um dentre um grupo numeroso de teólogos da atualidade que quer deixar Nicéia e Calcedônia para trás, como documentos do seu próprio tempo que já não nos são de auxílio hoje em dia.

GRAÇA: Por quê?

Um Deus que não sabe que é Deus

JOÃO: Acho que há três problemas principais com a doutrina tradicional. Já apontamos um deles: o fato de que não foi ensinado pelo próprio Jesus, mas é uma criação da Igreja. Veja bem, a percepção de que Jesus não ensinou sua própria divindade é – com poucas exceções – inteiramente moderna; foi surgindo a partir do estudo histórico-crítico das origens cristãs que teve lugar, mais ou menos, durante os últimos cento e cinqüenta anos. E contudo, seria considerada uma heresia literalmente condenável no tempo em que se estabeleceu o que hoje conhecemos como ortodoxia cristã. Por exemplo: o Concílio de Calcedônia declarou, quanto à sua doutrina sobre Jesus como "Filho e único Deus-Logos gerado", que isso correspondia àquilo "que (...) nosso próprio Senhor Jesus Cristo nos ensinou". Agora, porém, temos boas razões para pensar que ele não ensinou nada disso.

GRAÇA: Você não concorda, todavia, que a Igreja moderna como um todo ainda assim passou a aceitar os principais resultados da pesquisa neotestamentária?

JOÃO: Sim, de modo geral, ela o fez; mas, muito freqüentemente, sem enfrentar plenamente as implicações disso. Chegamos realmente a enfrentar o paradoxo do Deus encarnado que não sabe que é Deus encarnado? Isto provoca o surgimento da seguinte questão: como pode a

Igreja pretender saber quem era Jesus, e até mesmo saber melhor do que ele mesmo sabia? O paradoxo só aumenta quando se toma consciência de que Jesus não pode ter tido a intenção de fundar uma igreja ou uma nova religião fora do judaísmo, se esperava, como ele e seus discípulos de fato parecem ter esperado, o fim da presente era dentro de poucos anos ou talvez até poucos meses. Portanto, não devemos a criação do cristianismo a Jesus, mas às necessidades e propensões espirituais daqueles que eram movidos e transformados por sua influência. Este homem carismático, pleno do Espírito divino, foi gradualmente exaltado e engrandecido pela piedade divina até chegar ao Cristo preexistente, o Logos eterno através do qual todas as coisas foram feitas e por quem todas as coisas são governadas. Todavia, depois da descoberta de que o próprio Jesus nunca ensinou coisa alguma a este respeito, precisamos de outras razões para continuar a crer nisso hoje e para afirmar que esta é a verdade plena e final para toda a humanidade.

GRAÇA: Mas mesmo que o próprio Jesus não tenha realmente ensinado que ele era Deus encarnado, não terá deixado isso implícito por meio da autoridade divina que se arrogou ao ab-rogar a lei judaica e ao perdoar pecados? Não é certo que sua divindade fica implícita, mesmo que não seja explícita, em sua vida e ensinamento?

JOÃO: Aqui entramos de novo no campo das teorias conflitantes dos estudos bíblicos. Concordo que seja possível ver nisso uma pretensão implícita à divindade. Por outro lado, é igualmente possível ver os materiais bíblicos de um modo muito diferente. Com freqüência afirmou-se que Jesus assumiu uma autoridade divina ao cancelar aspectos da lei judaica. E contudo, uma corrente bem representativa da pesquisa contemporânea do Novo Testamento acentua o judaísmo de Jesus, defendendo a tese que ele, na verdade, não ab-rogou a Lei. Sugiro que você leia, por exemplo, a obra de E. P. Sanders assim como é apresentada em *Jesus and Judaism*[158] e em outros livros de sua pena. Também neste ponto Sanders

158. E.P. Sanders, *Jesus and Judaism*, London: SCM Press and Philadelphia: Fortress Press 1985.

e muitos outros afirmam que, quando pronunciou o perdão dos pecados, Jesus estava, a partir da sua vívida consciência da misericórdia de Deus, declarando o perdão de Deus, e não supondo ser Deus ele mesmo. Deve-se dizer, contudo, que estas são questões que os estudiosos do Novo Testamento provavelmente irão debater, entre si, até o fim dos tempos. E penso que você irá notar que invariavelmente existe uma correlação entre suas interpretações e suas posições teológicas de fundo. Se busca uma confirmação bíblica para uma posição conservadora, poderá encontrá-la, e se quer uma confirmação bíblica para uma posição mais liberal, também poderá achá-la. Isso seria reconhecidamente desconcertante se tivéssemos pensado que podemos resolver nossos problemas teológicos a partir da Bíblia. Mas a situação é justamente a oposta: todos nós usamos a Bíblia seletivamente – quer conscientemente ou não – à luz da perspectiva teológica que adotamos.

GRAÇA: Mas não vou deixar que escape tão facilmente dos embaraços causados pelos materiais bíblicos! Existem três passagens específicas nos evangelhos sinóticos que alguns interpretam – e certamente com boas razões – como passagens que deixam implícita uma reivindicação de divindade por parte de Jesus. Uma delas é a parábola da vinha, na qual o filho do senhor da vinha é assassinado (Marcos 12.2-6; Mateus 21.33-41; Lucas 20.9-18); uma segunda é o dito encontrado em Marcos: "Mas a respeito daquele dia ou da hora ninguém sabe; nem os anjos no céu, nem o Filho, senão somente o Pai" (Marcos 13.32); e o terceiro é uma citação de Mateus: "Tudo me foi entregue por meu Pai. Ninguém conhece o Filho senão o Pai; e ninguém conhece o Pai senão o Filho, e aquele a quem o Filho o quiser revelar" (Mateus 11.27/Lucas 10.22). Certamente essas passagens mostram uma clara consciência, da parte de Jesus, quanto à sua filiação divina. Ou não mostram?

JOÃO: Bem, como acabei de dizer, recorro aos especialistas do Novo Testamento a fim de verificar como eles interpretam as passagens bíblicas. Retomemos, portanto, as idéias de James Dunn, um respeitado exegeta conservador que crê fielmente na divindade de Jesus. Em sua obra amplamente utilizada, *Christology in the Making*, Dunn aborda o tema da parábola da vinha afirmando que "a distinção entre 'servos' e 'filho (amado)' em Marcos 12.2-6 oferece um fundamento bastante incerto [para a idéia de que Jesus tinha consciência de sua divindade], uma vez que o contraste pode ser inteiramente explicado como parte do desenlace dramático da parábola" (p. 28). E "quanto aos outros dois ditos," acrescenta ele, "é precisamente na referência que Jesus faz de si mesmo como 'o Filho' que a maioria dos exegetas detectam as evidências que comprovariam terem os primeiros cristãos adicionado algo a um dito original, ou ao menos terem moldado um dito original de menor peso cristológico" (p. 28). Assim, a questão crucial é se estes ditos, na sua presente forma, vêm de Jesus mesmo, ou se foram retocados com a finalidade de exprimir a crença dos autores do Evangelho. Mas isto é algo impossível de se determinar em caráter definitivo. Mas continuemos com o que diz Dunn. Após ter examinado cuidadosamente não só estes ditos, mas também todas as outras evidências da possível autoconsciência divina de Jesus nos evangelhos sinóticos, ele reconhece "o caráter frustrante de nossas evidências", e conclui que, "justamente quando nosso questionamento atinge o ponto e a questão decisivos (ou seja: estava Jesus consciente de ser o Filho divino de Deus?) descobrimos que tal questionamento é incapaz de nos dar uma resposta histórica clara" (p. 29). No fim das contas, penso que a situação é tal que se torna possível encaixar as evidências do Novo Testamento de um ou de outro modo: tanto num retrato teologicamente conservador como num retrato teologicamente liberal das coisas. Não podemos estabelecer nenhuma das duas perspectivas a partir dos textos, embora possamos usar os mesmos textos para confirmá-las. Sei que, para algumas pessoas, isso é difícil de aceitar; não obstante, parece ser esta a realidade das coisas.

Duas naturezas, uma divina e outra humana?

GRAÇA: Bem, sem a obrigação de aceitar ou rejeitar esta conclusão, passemos agora àquela que é a segunda de suas três razões para pôr em questão a doutrina tradicional da encarnação.

JOÃO: Certo. A segunda razão lembra que jamais se foi capaz de traduzir em miúdos, de um modo inteligível, a idéia da divindade de Jesus. O dogma oficial assevera que Jesus era verdadeiramente Deus e verdadeiramente homem, sem tentar dizer como isto é possível. Há, contudo, um problema óbvio sobre como um indivíduo histórico poderia ter todos os atributos divinos essenciais em virtude dos quais é Deus, e também todos os atributos humanos essenciais em virtude dos quais é um homem. Como Jesus poderia ser, ao mesmo tempo, divinamente onipotente e humanamente fraco e vulnerável? Divinamente onisciente e humanamente ignorante? Como poderia ser o criador eterno, infinito e por si mesmo existente do universo, e uma criatura temporal, finita e dependente? Pode-se atribuir a tal idéia qualquer significado literal?

GRAÇA: E por que não?

JOÃO: Bem, a mais simples concepção literal possível da encarnação divina seria a de uma mente divina num corpo humano. Mas esta concepção, e todas as suas inúmeras variações engenhosas, tiveram de ser rejeitadas por não terem sido capazes de fazer justiça, seja à divindade, seja à humanidade de Jesus. Pois terá o Deus Filho se esvaziado dos seus atributos divinos ao tornar-se um homem? E será que Deus, sem os atributos de Deus, ainda é Deus? E se Jesus tinha somente os atributos divinos que não são incompatíveis com seu ser humano, e somente os atributos humanos que não são incompatíveis com seu ser divino, seria possível afirmar que era genuinamente humano ou genuinamente divino? Há um verdadeiro lamaçal de dificuldades aqui, e, ao fim e ao cabo, a ortodoxia cristã somente foi capaz de dizer que a idéia do Deus-Homem é um mistério divino que não podemos compreender, mas que devemos, apesar de tudo, reverenciar. É, porém, um mistério criado por seres humanos ao longo de um processo que podemos delinear historicamente, e de fato só é um mistério no sentido de uma forma de palavras que não possui um significado literal claro! Possui um significado metafórico de grande efeito expressivo, mas jamais se demonstrou que teria um significado literal viável.[159]

GRAÇA: Não obstante, o poder deste mistério sobre o coração humano certamente depende de que nele se creia como numa verdade em sentido literal. Não deveríamos, portanto, contentar-nos em aceitá-lo como um mistério, sem levantar as dificuldades que você sublinhou?

A deificação de Jesus foi utilizada para justificar males históricos

JOÃO: Isso seria aceitável se a doutrina entendida literalmente não tivesse implicações literais que são extremamente prejudiciais ao nosso relacionamento com pessoas de outras religiões, implicações que também demonstraram ser extremamente propícias a legitimar terríveis injustiças e crueldades humanas. Esta é a terceira dificuldade que tenho com a doutrina tradicional.

GRAÇA: Você já falou sobre aquilo que chama de complexo de superioridade cristão em relação a outras religiões. Mas o que quer dizer quando fala da "legitimação de males terríveis"?

JOÃO: Desde a época de Constantino, o primeiro imperador cristão, até os dias atuais, tornou-se manifesto que o caráter absoluto da figura de Cristo facilmente se prestou a validar vários males. Não há tempo, neste instante, para descrever isto em detalhes. Mas o anti-semitismo europeu justificou-se por muitos séculos pela acusação de deicídio, acusação que obviamente pressupõe a divindade de Jesus; e o anti-semitismo secular do séculos XIX e XX, que culminou no holocausto dos anos de 1940, só foi possível numa cultura impregnada por séculos de anti-semitismo cristão, originalmente inspirado pelos ditos anti-semíticos do Quarto Evangelho.[160] Reinhold Bernhardt argumenta: "Na história do cristianismo, a condenação teológica de uma religião sempre esteve

159. Para um aprofundamento dessa idéia, ver John Hick, *A metáfora do Deus encarnado*, trad. Luís H. Dreher, Petrópolis: Vozes, 2000, capítulos 5-7. (Edições originais: London: SCM Press, 1993; Louisville: Westminster/John Knox, 1994.)

160. Por ex.: João 8.37; 8.44; 8.47.

intimamente ligada ao comportamento dos cristãos ante os seguidores da religião em questão".[161] De igual modo, o colonialismo ocidental, responsável pela exploração destrutiva do que hoje em dia chamamos Terceiro Mundo, justificou-se pela convicção de que a cristandade tinha o dever de impor a verdadeira civilização e a verdadeira religião – sendo, as duas, consideradas uma única e só coisa – sobre os povos da Terra tidos como inferiores e pagãos. Foi esta a ideologia que legitimou a dominação política e a exploração econômica do Terceiro Mundo. Do mesmo modo, o patriarcalismo, expresso no pressuposto de uma superioridade masculina natural, foi prontamente justificado pela masculinidade da imagem bíblica de Deus e de Jesus como Deus encarnado. Para lançar mão da famosa expressão de Mary Daly, "quando Deus é masculino, o masculino é Deus".[162] Essa "intenção secreta" tornou-se manifesta em nossos dias nos argumentos contra a ordenação de mulheres em várias ramificações institucionais da Igreja cristã, nas quais temos ouvido argumentos que se acham apenas alguns passos à frente dos argumentos medievais a respeito da questão relativa a se as mulheres têm ou não têm alma!

GRAÇA: Concordo com você nesse ponto. Mas será justo atribuir todos estes males à doutrina da Igreja sobre a encarnação?

JOÃO: Não, não como sua causa direta. Suas causas jazem na ganância, no egoísmo, na sede de posses, na crueldade e no preconceito humanos. Mas isso não anula o fato de que a doutrina da encarnação foi usada para justificar esses males. Teoricamente teria sido possível, para os cristãos, crerem que Jesus era Deus encarnado, sem que nisso tivessem visto uma justificação para a perseguição e o assassínio de judeus; teria sido possível não terem usado o senhorio de Cristo para justificar as anexações coloniais na Índia, na África, nas Américas do Norte e do Sul, nas ilhas do Pacífico e alhures; e teria sido possível não terem usado o

161. Reinhold Bernhardt, *Christianity Without Absolutes*, London: SCM Press, 1994, p. x.

162. Mary Daly, *Beyond God the Father*, Boston: Beacon Press, 1973; London: The Women's Press, 1986, p. 19.

cristianismo para reforçar e validar a dominação masculina. Se os séculos de influência cristã tivessem mudado significativamente nossa ganância, sede de posses e propensão à crueldade, o caráter absoluto de Cristo não poderia ter operado com o fim de justificar agressão e perseguição tão impiedosas. De fato, porém, a selvageria humana freqüentemente encontrou um dogma cristão feito sob medida para justificá-la. E toda essa situação, consistindo, como consiste, na combinação de uma pretensão absoluta e uma impotência moral que não corresponde àquela pretensão, só faz aumentar o caráter problemático do dogma tradicional. À luz de tudo isto, certamente deveríamos reexaminá-lo com grande cuidado para ver se ele realmente constitui uma parte essencial do cristianismo. De minha parte, tenho argumentado que não só carece de uma fundamentação histórica segura nos ensinamentos de Jesus, mas também de qualquer sentido literal claro.

GRAÇA: A esta altura, creio ser meu dever mencionar que alguns ficaram com a impressão de que você opta por uma cristologia da inspiração, abandonando uma cristologia de tipo calcedônio simplesmente porque esta última foi usada para justificar os males que acabou de mencionar.[163] Isto confere?

JOÃO: Não, e acho que minha crítica filosófica à fórmula calcedônia deixa isso claro.[164]

GRAÇA: De qualquer modo, no que concerne à doutrina da encarnação, considerada isoladamente, você conclui que deveríamos simplesmente abandoná-la?

---

163. Paul J. Griffiths, in: *Christian Uniqueness Reconsidered*, op. cit. Como exemplo, veja-se a passagem: "Aprovar aquelas sentenças que expressam uma cristologia da inspiração possibilita a realização de metas teológicas e práticas que Hick aceita tendo por base fundamentações de ordem bem diversa; e, uma vez que estas metas são menos facilmente realizáveis – e talvez até ativamente obstruídas – pela aceitação da Fórmula de Calcedônia, a aceitação do primeiro tipo de cristologia deve ser preferível à aceitação do segundo já por esta simples razão" (p. 159).

164. Ver, por ex., minhas contribuições a *The Myth of God Incarnate*, por mim editado: London/Philadelphia: SCM Press/Westminster, 1977; e minha contribuição em Leroy S. Rouner, *Religious Pluralism*, Notre Dame: Notre Dame University Press, 1984); ver também *A metáfora do Deus encarnado*, op. cit..

A metáfora/mito do Deus encarnado

JOÃO: Não. Acho que deveríamos reconhecer que a doutrina não é uma verdade literal da qual devem ser extraídas implicações literais, afirmando-a, em vez disso, como uma verdade metafórica.

GRAÇA: Este tema apareceu na sua discussão com Fil; mas vamos considerá-lo um pouco mais. Explique de novo, brevemente, o que quer dizer com verdade metafórica ou mítica.

JOÃO: Uma história é literalmente verdadeira se corresponde ao que efetivamente é o caso. Deste modo, a frase "comi um ovo no café da manhã de hoje" é literalmente verdadeira se comi um ovo no café da manhã de hoje. Um mito verdadeiro, por outro lado, é uma história que não é verdadeira, em termos literais, mas que apesar disso tende a evocar no ouvinte uma atitude de disposição apropriada em relação ao referente da história, que, no caso do mito, sempre transcende a história como tal. Portanto, a história de que Deus (isto é, o Deus Filho) desceu do céu à Terra para nascer como um bebê humano e para morrer na cruz para dar satisfação pelos pecados do mundo não é literalmente verdadeira, pois não se pode atribuir a ela um significado literal aceitável. Por outro lado, é verdadeira em sentido mitológico, pois tende a evocar em nós uma atitude apropriada ante o Divino e o Real enquanto fonte última de toda transformação salvífica, e portanto benigna desde o ponto de vista humano.

GRAÇA: Mas como saber se a resposta que um mito evoca é uma resposta apropriada e se está, por conseqüência, a orientar-nos corretamente para o Real?

JOÃO: Bem, ao aceitarmos o mito cristão, já entramos no círculo da fé religiosa, tanto quanto aqueles que crêem que a história é literalmente verdadeira. De um modo ou de outro, aceitamos a história em questão como o quadro de referências dentro do qual respondemos àquilo que é real em última análise. Ao aceitá-la como mito ou metáfora, estamos dizendo que descreve nossa relação com o que é último dentro de um conjunto particular de termos humanos – e obviamente não temos outros termos senão os humanos.

GRAÇA: Notei que você praticamente iguala mito e metáfora. Mas estes termos não terão significados diferentes?

JOÃO: Sim, embora minha opinião seja a de que um mito é uma metáfora alargada. Tanto a metáfora como o mito operam no sentido de ajudar-nos a ver algo sob uma nova luz e, desta forma, reagir a este algo de um jeito novo. Todavia, ao passo que uma metáfora normalmente opera dentro de uma única frase, um mito é uma história ou narrativa mais ou menos desenvolvida baseada numa metáfora. Conseqüentemente, podemos pensar sobre Deus, metaforicamente, como nosso Pai celeste, e podemos desenvolver isso chegando a história de como o Pai do céu enviou seu Filho à Terra para reconciliar-nos com sua morte por nossos pecados; e deste modo a história pode crescer – e de fato cresceu – até se tornar toda uma teologia.

GRAÇA: Como isso tudo difere da posição não-realista de Feuerbach no século XIX, ou de autores como Santayana, Dewey ou J. H. Randall, Jr. nos Estados Unidos, ou ainda, do que fazem de modos bem diversos, R. B. Braithwaite ou Don Cupitt na Inglaterra? Por certo, será possível apropriar as *personae* e *impersonae* religiosas enquanto construtos humanos, sem ter que postular uma Realidade transcendente por detrás delas. Ou não será? Como diz um de seus críticos: "Pode ser que elas ainda sejam espiritualmente eficazes nas vidas de diferentes comunidades de fé, mesmo que inexista qualquer objeto último de fé".[165]

JOÃO: Sim, obviamente será possível uma redução naturalista da religião a um construto puramente humano, e isso de fato representa a visão implícita ou explícita de muitas pessoas da atualidade. Não obstante, as pessoas que participam em qualquer grau significativo de uma das grandes correntes históricas da experiência religiosa estão, penso eu, plenamente justificadas quando confiam que sua experiência religiosa proporciona o conhecimento de uma realidade transcendente que se lhes impõe. Como sabe, já argumentei longamente em outro lugar – como

165. Brian Hebblethwaite, John Hick and the Question of Truth in Religion, in: Arvind Sharma (ed.), *God, Truth and Reality*, op. cit., p. 130.

aliás muitos outros também o fizeram – em favor da racionalidade da formação de crenças com base na experiência religiosa. Mas você não irá querer que eu comece a abordar tamanho assunto aqui.[166]

Conclui-se que a diferença entre uma compreensão religiosa pluralista da religião e as várias compreensões não-realistas e anti-realistas da mesma é a de afirmar e negar uma Realidade transcendente última, Realidade que é fundamento e fonte de tudo e que entra em nossa experiência humana de acordo com os diferentes modos possibilitados pelo pensamento e prática das diferentes religiões. Em contraste com isto, os pensadores não-realistas negam a existência de qualquer realidade transcendente deste tipo. Eles são não-realistas ou anti-realistas; por sua vez, o pluralista religioso é um realista crítico.

166. John Hick, *Faith and Knowledge*, 1957, 2. ed. London: Macmillan 1988, Parte III; *An Interpretation of Religion*, London/New Haven: Macmillan/Yale University Press, 1989, cap. 13; e William Alston, *Perceiving God*, Ithaca/London: Cornell University Press, 1991.

V

Salvação, Missão e Diálogo

O Real como o Deus Cristão disfarçado

GRAÇA: Deixe-me passar agora a algumas outras críticas. Tem-se afirmado que, para rejeitar o antigo exclusivismo cristão, é preciso apelar para o amor divino universal que é incompatível com tal exclusivismo. No entanto, dizem alguns críticos, somente sabemos a respeito deste amor divino universal porque nos foi revelado em Jesus Cristo. Como afirmou um desses críticos: "Só sabemos que Deus é amor e que há salvação por causa de Cristo".[167] O que você diz disso?

JOÃO: Bem, é óbvio que se, como cristão, você limita sua atenção a sua própria tradição, então Cristo será sua única pista para a natureza do divino. Todavia, se estender seu olhar um pouco mais longe, verá que não confere com a realidade a afirmação - que cito de outro crítico - de que "não se pode falar do Deus que tem por centro o amor universal, e tampouco reconhecê-lo, sem Jesus".[168] Ora, outras grandes religiões teístas têm seus próprios fundamentos independentes para esta mesma crença no amor universal. A idéia da bondade, do amor ou da compaixão

---

167. Chester Gillis, *A Question of Final Belief*: John Hick's Pluralistic Theory of Salvation, London/New York: Macmillan/St. Martin's Press, 1989, p. 170.

168. Gavin D'Costa, *Theology and Religious Pluralism*, Oxford/New York: Blackwell, 1986, p. 33.

divina universal é comum ao judaísmo,[169] ao islamismo,[170] ao hinduísmo teísta,[171] ao siquismo[172] e ao jainismo,[173] bem como ao próprio cristianismo. Estas são formas teístas do que denomino "otimismo cósmico" das grandes tradições pós-axiais – sua afirmação da possibilidade, para todos os seres humanos, de um estado ilimitadamente melhor fundamentado na natureza última da Realidade. Mas este otimismo cósmico não se restringe às religiões teístas. Segundo seus modos próprios, diferentes dos já citados, o budismo, o hinduísmo advaítico e o taoísmo também dele compartilham. Deve-se isto ao fato de que afirmam a possibilidade de atingir um estado ilimitadamente melhor, que elas caracterizam como a obtenção do Nirvana, ou a realização da unidade com a realidade universal do Brahma, ou a harmonia com o Tao eterno.

GRAÇA: Mas quando diz que todas as grandes tradições mundiais são formas de otimismo cósmico, afirmando um desfecho ilimitadamente benigno deste projeto que é a existência humana, não estará esquecendo da doutrina do inferno eterno? Dificilmente o inferno eterno será um bom desfecho para aqueles que lá terminam – e, de acordo com Santo Agostinho, são a maioria da raça humana.[174]

JOÃO: Não, você está certa. Existem elementos dentro de cada tradição que atuam contra seu caráter dominante de boas-novas, e a doutrina do inferno eterno é, provavelmente, o melhor exemplo. Assim

---

169. Por ex.: "O Senhor é cheio de graça e misericordioso, lento na cólera e cheio de amor. O Senhor é bom para todos, e Sua compaixão está acima de tudo o que Ele criou" (Salmo 148. 8-9).

170. Por ex.: "Deus é Bondoso para com Seus servos, e provê [Seus bens] a quem quer que Ele queira" (Alcorão, 42.19).

171. Por ex.: "Em muitas formas de bondade, ó Amor, mostras tua face. Concede que estas formas possam entrar em nossos corações. Expulsa para outro lugar toda malícia!" (Atharva Veda, 9, 2. 24-5).

172. Por ex.: "O mundo é um jardim, o Senhor, seu jardineiro, acaricia tudo, e ninguém é desprezado' (Adi Granth, Majh Ashpadi, M.3, p. 118).

173. Por ex.: "Senhor! Tu és o salvador não-invocado, o Ser compassivo sem motivos, o Ser que deseja o bem até mesmo quando a Ti não oram, um amigo mesmo quando de ti não buscam a amizade" (Vitaragastava, 13.2).

174. Por ex., o *Enchiridion* de Agostinho, cap. 24, par. 97.

sendo, aceito esta correção, embora não queira permitir que ela obscureça o fato mais amplo de que cada uma das grandes tradições se apresenta como boa notícia para a humanidade sofredora.

GRAÇA: Está bem. Então, para voltarmos ao ponto principal, é certo que pelo menos um cristão ou cristã deve afirmar este otimismo cósmico, tendo por base o fato de que Jesus, que ensinou o amor paterno de Deus, era Deus encarnado, revelando a natureza divina por meio de suas palavras e na sua vida e morte reconciliadora. E, no entanto: não é isso negado por você?

JOÃO: Sim, é. Estou seguro de que não se tem de crer que Jesus era a segunda pessoa de uma Trindade divina para aceitar seu ensinamento a respeito do amor de Deus. Se os budistas podem aceitar os ensinamentos do Gautama nas *Sutras* e viver segundo tais ensinamentos, se os muçulmanos podem fazer o mesmo com os ensinamentos do Profeta Muhammad nos *Hadiths* e os siques com os ensinamentos dos seus gurus no *Granth* – e assim por diante, sem crer que qualquer desses grandes mestres era Deus encarnado; por que os discípulos de Jesus não podem aceitar suas parábolas do amor de Deus sem crer que ele mesmo é Deus? Insisto, mais uma vez, em que não é preciso crer que Jesus seja Deus para perceber a bondade divina e o amor manifesto (ou, usando nossa metáfora cristã, "encarnado") em sua vida, bem como, em graus variáveis, na vida de todos os verdadeiros servos de Deus.

Diferentes salvações

GRAÇA: Bem, isso certamente é consistente com a cristologia que você mesmo defende, embora, é claro, a grande maioria dos cristãos vá considerá-la fundamentalmente equivocada. Mas deixe-me passar a uma outra crítica, retomando o tema da salvação/libertação. Você diz que todas as grandes religiões pós-axiais – hinduísmo, judaísmo, budismo, confucionismo, taoísmo, cristianismo, islamismo e siquismo – exibem uma estrutura soteriológica comum. Todas elas, você declara, preocupam-se com a salvação, ou, para usar sua expressão híbrida, com a salvação/libertação

– expressão pela qual se indica que buscam ser contextos da transformação humana que conduz do autocentramento natural para um novo centramento no Real, no Último, assim como é diferentemente concebido e experimentado dentro delas. E contudo, será que aqui você faz jus à profunda diversidade das religiões? Não se dá o caso de que sua idéia de uma estrutura soteriológica comum ignora, ou antes, dissimula, o fato de que elas possuem metas diferentes? A salvação cristã é geralmente definida, no pensamento católico, como a união final com a Trindade Bem-Aventurada, e, no pensamento protestante, como o ser perdoado e recebido na comunhão com Deus por causa da morte expiatória e reconciliadora de Cristo – não pretendendo dizer, obviamente, que estas duas idéias se excluem mutuamente. Esta meta ou alvo final, porém, não é partilhada por nenhuma das outras religiões. Cada uma das tradições tem seu próprio ensinamento peculiar sobre a finalidade última da vida e da maneira que deveríamos viver em vista deste objetivo. E mais do que isso: cada uma sustenta que sua própria meta de vida é a mais digna de ser perseguida por todos os seres humanos.[175] Deste modo, um certo autor reclama que "o centralismo soteriológico [das teologias pluralistas da religião] parece obrigado a igualar ou absorver os programas soteriológicos indelevelmente particulares das outras comunidades religiosas".[176] Você não pensa que há algo de verdadeiro nesta acusação?

JOÃO: De um ponto de vista exclusivista ou inclusivista, sim; de um ponto de vista pluralista, não.

GRAÇA: Como assim?

JOÃO: Bem, é certamente verdade que as idéias de união com a Santa Trindade, do Nirvana, da retidão da Torá, e assim por diante, são todas diferentes e por isso únicas. Até aí não há razão para controvérsia.

175. P. ex., J. A. DiNoia, *The Diversity of Religions*, Washington, D.C.: Catholic University of America, 1992; Pluralist Theology of Religions, in: *Christian Uniqueness Reconsidered*, op. cit. Cf. tb. John Milbank, The End of Dialogue, in: *Christian Uniqueness Reconsidered*; Peter Fenner, Religions in the Balance, *Sophia*, v. 10, n. 4, out. 1994; *Salvations*, Maryknoll, N.Y.: Orbis, 1995.

176. J. A. DiNoia, *The Diversity of Religions*, op. cit., p. 43.

A questão, entretanto, é se são ou não são diferentes formas da meta genérica mais fundamental, que é a de passar de um estado profundamente insatisfatório a um estado ilimitadamente melhor numa relação correta para com o que é finalmente Real. Penso que são; todas diagnosticam o fracasso da vida humana comum "irredenta" de diferentes maneiras - enquanto pecaminosidade resultante da queda, ou como a cegueira do *avidya*, ou como um centramento na auto-afirmação do eu, e assim por diante. Todavia, independentemente do ponto pelo qual se capta nossa condição humana, ela é mudada como um todo na transformação do autocentramento para um centramento na Realidade.

GRAÇA: Mas certamente as diferentes tradições também ensinam caminhos morais e espirituais diferentes para atingir suas metas diversas.

JOÃO: É verdade. Porém, estes diferentes caminhos são todos formas de uma transformação gradual que conduz do autocentramento para um novo centramento no Real. No cristianismo, tal transformação é uma conversão - para usar a linguagem de Santo Agostinho - de um coração curvado sobre si mesmo para um coração aberto e responsivo ao amor de Deus; no Islã, é a vida vivida na segurança e plenitude de uma completa submissão a Deus; no hinduísmo teísta, é um fervoroso doar-se a Shiva ou a Vishnu encarnado como Krishna, ou a alguma outra figura divina, todas percebidas pelos hindus instruídos como manifestações da Realidade Última do Brahman; no hinduísmo advaítico, é uma transcendência do ego finito dentro da consciência infinita do Brahman; no budismo theravada, a transformação é a descoberta da não-substancialidade do eu, a qual acarreta uma perda do ponto de vista egóico e uma transformação nirvânica da consciência; e, no desenvolvimento da linha mahayana do budismo, é igualmente uma transcendência do ponto de vista egóico que culmina na descoberta de que o processo de *samsara* (a vida humana comum com todas as suas dores e sofrimentos), quando experimentado de forma completamente descentrada no eu, é idêntico ao *nirvana*.

GRAÇA: Sim, a idéia de uma mudança radical que conduz do autocentramento para uma nova orientação centrada no Transcendente parece plausível nestes casos. Mas você não mencionou o judaísmo, ou, do outro lado do mundo, a religião chinesa; tampouco mencionou as religiões pré-axiais e extra-axiais, tais como a religião primordial africana e nativo-americana. E o que dizer, aliás, da multidão de novas religiões que estão brotando o tempo todo?

Outras grandes, menores e novas religiões

JOÃO: Correto. Deixe-me dizer, em primeiro lugar, que a mudança salvífica não consiste necessariamente numa conversão ou iluminação súbitas, mas, como ocorre mais habitualmente, num crescimento gradual sob a influência de uma tradição que incentiva e promove uma vida centrada no sagrado – embora, algumas vezes, este processo inclua uma experiência "limítrofe" crucial de conversão ou iluminação.

Dito isto, creio que o judaísmo é claramente um caminho salvífico, sendo, como é, uma forma de vida que molda as pessoas para viverem uma relação correta com Deus, a fim de preparar-se para a plenitude do Seu reinado. Não há tempo, agora, para defender esta tese em detalhe; mas deixe-me apelar para o testemunho de um importante pensador judeu americano, o rabino Irving Greenberg, que diz que "o paradigma central da religião judaica é a redenção",[177] entendendo por isso a plena realização da imagem de Deus em nosso interior. E na China, tanto o confucionismo como o taoísmo são caminhos para harmonia com a ordem última do universo, o Céu (*T'ien*) ou o Tão, nos quais se manifesta a bondade básica da natureza humana. O confucionismo – e no geral é preferível falar do confucionismo do que do próprio Confúcio, figura sobre a qual pouco sabemos – é um processo de vida que conduz da preocupação com o eu à verdadeira sabedoria. Sua tendência foi e é a de "identificar o transcendente com o que é imanente, reconhecer a presença do caminho do Céu no caminho do ser humano".[178] Mas é importan-

177. Irving Greenberg, *The Jewish Way*, New York/London: Summit Books, 1998, p. 18.

178. Julia Ching, in: Hans Küng, Julia Ching, *Christianity and Chinese Religions*, New York/London: Doubleday/SCM Press, 1989, p. 89.

te entender que, para citar Kang-nam Oh, "tornar-se um sábio não é somente uma questão de tornar-se uma pessoa moralmente respeitável, mas sim de uma transformação radical do ser total da pessoa (...), uma questão de transformação última".[179] Esta autotransformação, que é social e não atomisticamente individual, é um processo interminável e contínuo de maturação humana. O taoísmo também se preocupa com a passagem de um estado de "confusão e tristeza" para um estado ilimitadamente melhor em harmonia com o Tao, sobre o qual o *Tao Te Ching* diz: "Se não estás consciente da fonte, tropeças na confusão e tristeza. Quando percebes de onde vens, naturalmente te tornas tolerante, desinteressado, entretido, benevolente como uma avó e tão dignificado quanto um rei. Imerso na maravilha do Tao, podes lidar com o que quer que a vida te traga; e quando a morte vem, estarás pronto."[180]

GRAÇA: E as formas pré-axial e extra-axial de religião, cuja importância e valor estão sendo redescobertos hoje?

JOÃO: Sim, mas estas não são, se as compreendo corretamente, salvíficas no sentido de buscar uma transformação humana radical. Elas se preocupam mais em manter a vida comunitária equilibrada tanto em si mesma como em relação ao sagrado. São respostas mais comunitárias que individuais ao Real. E, na medida em que são eficazes, a transcendência individual do ego não é necessária, visto que, nas sociedades tradicionais, o ego autônomo ainda não se tornou desligado da unidade do organismo social. Seria possível dizer que a religião primordial é, ao menos idealmente, religião antes da "queda" que levou da consciência comunitária para a individualidade - uma "queda" que representou, negativamente, a perda da comunidade verdadeiramente integrada, e, positivamente, a realização da autonomia individual - conseqüências estas que têm, ambas, tanto seus valores como suas limitações. Aquela "queda" seria, mais cedo ou mais tarde, inevitável. Contudo, há aspectos

179. Kang-nam Oh, Sagehood and Metanoia, *Journal of the American Academy of Religion*, v. 61, n. 2, 1994, p. 314.

180. *The Tao Te Ching*, 16, trad. Stephen Mitchell, San Francisco: Harper & Row, 1988.

imensamente válidos da religião primordial ou primeva que nós, que vivemos no mundo individualista industrializado, devemos tentar recuperar – o senso de unidade com a natureza, a consciência de que os outros animais são nossos primos e um senso de responsabilidade para com a Terra enquanto mãe de toda vida.

GRAÇA: Certo. E o que dizer da multiplicidade de religiões menores e novas religiões? Considere-se, por exemplo, apenas aquelas que se originam no século XIX: os mórmons, a Ciência Cristã, os baha'i, os movimentos ahmadiyya e tenrikyo, o espiritualismo, a teosofia, a antroposofia, os discípulos de Cristo e o Exército da Salvação; ou os movimentos religiosos do século XX: a consciência Krishna (ISKCON), a cientologia, os rastafaris, o Templo do Povo (o desditoso movimento de Jim Jones), a Igreja da Unificação (os "moonies"), a Família do Amor (outrora denominado de "Crianças de Deus"), o Soka Gakkai, o Rissho Kosei Kai, o Nichiren Shoshu, os Brahma Kumaris, a Igreja Kimbanguista, a Igreja Lumpa (fundada por Alice Lenshina), Opus Dei, a Missão da Divina Luz, os Rajnishes, os vários movimentos "Nova Era" e outros movimentos contemporâneos novos ou reavivados como o Vodu, o satanismo, a feitiçaria, Wicca etc. É claro que a lista poderia prosseguir.

JOÃO: Realmente poderia. E é evidente que não devemos juntar todos estes diferentes movimentos como se fossem todos da mesma espécie. Alguns são novas variações dentro de uma religião mundial existente; outros são movimentos formados em torno de um líder carismático, e alguns destes líderes foram ou perversos ou insanos, ao passo que outros foram muito impressionantes em termos morais e espirituais; algumas das novas religiões são intrinsecamente locais, enquanto outras lançam um apelo potencialmente universal; e assim sucessivamente. Qualquer juízo que se forme a seu respeito tem de basear-se num exame profundo de cada movimento específico, e tudo que se pode dizer em geral é que, assim como ocorre no caso das grandes religiões mundiais, também aqui deve poder aplicar-se o mesmo critério: serão, estas religiões, contextos efetivos da transformação salvífica dos seres humanos, transformação que os conduz do autocentramento para uma nova orientação centrada no Real, assim como este é autenticamente conhecido de um modo humano particular? E aqui, o critério de autenticidade somente pode ser os frutos morais e espirituais observáveis das religiões na vida humana. Em meu próprio exame destes frutos, limitei-me às religiões mundiais que já contam vários séculos de idade, visto que delas temos informações suficientes para poder abordá-las com base num pano de fundo razoável de conhecimento comum. Eu mesmo não fiz um estudo equivalente de qualquer um dos movimentos menores ou novos listados por você - apesar de ter tido encontros, que me deixaram impressionado, com a fé Baha'i e a religião japonesa de Tenrikyo, religiões cuja origem remonta ao século XIX. Contudo, há uma observação que vale a pena fazer no que se refere a muitos dos movimentos mais recentes do século XX, pelo menos no Ocidente. Esta diz respeito ao fato de que tais movimentos freqüentemente não se constituem com base numa membresia estável, com a exceção de um pequeno núcleo; antes, são como uma porta giratória com algumas pessoas aderindo e outras saindo o tempo todo. Eileen Barker, que tem estudado intensivamente alguns destes movimentos, tais como os "Moonies" e os "Hare Krishnas", diz que "há uma alta taxa de rotatividade, com um número muito maior de pessoas deixando os movimentos do que permanecendo neles mais do que por um período limitado".[181] Talvez isto se deva à capacidade, demonstrada por estes movimentos, de suprir uma necessidade pessoal particular num momento específico, embora carecendo da abrangência universal para oferecer um referencial de significado para grande número de pessoas durante toda sua vida. Deste modo, talvez muitos destes movimentos - mas nem todos- tenham um papel a cumprir que difere daquele das grandes religiões mundiais, mas que nem por isso deixam de ter seu valor.

---

181. Eileen Barker, New lines in the supra-market, in: Ian Hamnett (ed.), *Religious Pluralism and Unbelief*, op. cit., p. 34.

Duas compreensões de salvação e de Cristianismo

GRAÇA: Está bem. Mas, voltando à questão básica, parece-me haver um abismo intransponível entre duas concepções diferentes de salvação ou redenção. A primeira somente pode ser expressa em termos exclusivamente cristãos, como união com a Trindade Bem-Aventurada ou como o perdão de Deus pela morte expiatória de Cristo (ou como ambos). A segunda é a concepção da salvação enquanto uma transformação humana real, que deve começar no presente e que conduz do egocentrismo natural à uma orientação radicalmente nova centrada no Divino, no Transcendente, no Real. Este abismo é reconhecido por Wolfhart Pannenberg, quando escreve: "Caso se assuma que a salvação se refere a alguma [citando você, João] 'transformação real da vida humana que leva do autocentramento ao centramento na Realidade', então não há razão para negar que tal transformação ocorre em várias culturas e em muitas formas de experiência religiosa autêntica. Todavia, isso não equivale ao conceito de salvação do Novo Testamento. É fácil verificar que ali se compreendia 'salvação' com referência ao juízo escatológico de Deus e à participação na comunhão de seu reino".[182]

JOÃO: Sim, penso que Pannenberg aponta para a diferença com muita precisão. E se definimos a salvação em termos exclusivamente cristãos, seremos levados a uma teologia das religiões inclusivista (ou exclusivista). Por outro lado, se definimos salvação como uma mudança humana real que é evidente mais ou menos na mesma proporção em todas as grandes tradições religiosas, então acabaremos tendo alguma forma de teologia pluralista das religiões.

GRAÇA: E suponho que a crítica mais básica afirma que uma explicação pluralista das religiões mundiais, enquanto respostas diferentes ao Real/Último/Divino, é incompatível com a autocompreensão estabelecida do cristianismo como a única religião plenamente verdadeira. Isso

182. Wolfhart Pannenberg, in: Gavin D'Costa (ed.), *Christian Uniqueness Reconsidered*, op. cit., p. 101.

porque tal explicação nega a centralidade universal de Cristo como Deus encarnado. Como você ressaltou, se, em Jesus, literalmente, vemos Deus em pessoa, esta revelação deve ser, dada a natureza do caso, definitiva, final, normativa e impossível de ser igualada ou excedida nesta vida.

JOÃO: Sim, esta certamente é a ortodoxia cristã tradicional. Isto foi o que me ensinaram no seminário, e certamente também a você. No seminário, meu principal e mais respeitado professor era o teólogo presbiteriano H. H. Farmer, que, num de seus livros, declarou que "em Jesus Cristo, Deus veio para dentro da história, assumiu a carne e habitou entre nós numa revelação de Si Mesmo que é única, final e completamente adequada, e totalmente indispensável para a salvação do homem".[183] O Papa estaria de acordo com isso, e também a fórmula básica do Conselho Mundial de Igrejas que afirma "O Senhor Jesus Cristo como Deus e Salvador". Não resta sombra de dúvida de que esta é a doutrina tradicional. Todavia, ela está sendo desafiada, nos dias de hoje, precisamente por ser muito limitada, que somente é capaz de reconhecer a vida religiosa mais ampla da raça humana exclusivamente ao subordiná-la ao esquema de pensamento cristão, distorcendo, assim, o verdadeiro quadro de nossa situação humana. Assinalei, em minha conferência, que não parece conferir a tese de que os cristãos tenham sido, em geral, moral e espiritualmente superiores aos judeus ou muçulmanos em geral, ou ainda superiores aos budistas, hindus, siques, taoístas, confucionistas e aos povos das religiões originárias. Há, então, uma discrepância entre a autocompreensão cristã oficial e as realidades da vida humana; uma contradição entre a teoria teológica e o fato observável. E é isso que tem levado muitos de nós a sentir a necessidade de uma revisão.

GRAÇA: Alguns certamente negarão que haja qualquer discrepância deste tipo, e insistirão em que os cristãos em geral são, de fato, manifestamente superiores em termos morais e espirituais aos não-cristãos em geral. Deixarei a outros a defesa desta posição. Mas naturalmente você

183. H. H. Farmer, *The Servant of the Word*, London: Nisbet, 1941, p. 18.

concorda que o cristianismo não é a única religião cuja estrutura de crença implica sua própria superioridade singular? Ou acaso não concorda? Afinal, os judeus são, de maneira singular e única, o povo eleito por Deus; o Alcorão é a revelação final e insuperável de Deus; os Vedas são *sanatana dharma*, a verdade eterna; e de acordo com a Dhammapada, o *dharma* Budista "é o único Caminho. Não há nenhum outro para a pureza de visão".[184] Sendo assim, não estarão todas as principais tradições no mesmo barco a este respeito, cada qual possuindo aspectos que um pluralista religioso é obrigado a questionar?

JOÃO: Sim, de fato. Creio ser verdade que o cristianismo e o islamismo tradicionais têm, ao longo do tempo, reivindicado de maneira mais explícita e enfática uma superioridade única; contudo, todas as outras tradições fazem o mesmo, ainda que às vezes de modos menos obstinados. Entretanto, existem também, dentro de cada tradição, recursos com os quais se pode, sempre que seus seguidores assim o desejarem, ao menos dar alguns passos na direção de anular o velho chauvinismo religioso. Já vimos que o cristianismo pode enfatizar a idéia do *Lógos* universal operante em todas as grandes religiões. No judaísmo, a própria noção de povo eleito requer uma noção complementar da relação de Deus com os não-judeus, e para alguns esta é fornecida por meio da aliança com Noé – a aliança de Deus com a totalidade da raça humana. Foi desse modo que os rabinos puderam ensinar que "os justos de todas as nações têm uma parte no mundo vindouro".[185] De modo semelhante, o Alcorão não só aceita judeus e cristãos como "povos do Livro", mas também afirma que Deus deu revelações tanto "a muitos dos apóstolos dos quais vos falamos antes como a muitos outros apóstolos dos quais não vos falamos" (4.164); e o pensamento islâmico também inclui a idéia do Livro celeste, *al-Qur'an al-takwini*, do qual tanto o Alcorão revelado ao Profeta Muhammad como as Escrituras de outras tradições são expressões. O hinduísmo, pelo

184. *The Dhammapada*, 20.2. trad. Narada Marathera, Colombo: Vajrarama, 1972, p. 221.
185. Talmud, *Sanhedrin* 13.

menos em princípio, demonstra a pronta capacidade de aceitar outras religiões como caminhos para o Último, e chegou mesmo a incluir seus fundadores entre as muitas encarnações de Vishnu. Mas embora todas estas estratégias caminhem na direção correta, ainda são formas de um inclusivismo que estica as categorias da própria religião para incluir os que se acham fora de seus limites. Mas tal inclusivismo ainda está longe de uma aceitação plena dessas pessoas como iguais.

GRAÇA: Logo, nenhuma das religiões mundiais pode ultrapassar esse ponto sem reconstruir ao menos alguma parte de seu sistema de crenças?

JOÃO: Sim, penso que seja este o caso. E há um ensinamento budista muito libertador que penso poderia ser de auxílio. Trata-se da visão que considera as doutrinas religiosas, tanto a própria como as outras, como "meios aptos" (*upaya*) que capacitam pessoas a caminhar, por vias diferentes, rumo à transformação salvífica da iluminação ou despertamento.

GRAÇA: Desconheço isso! Diga-me mais a respeito.

JOÃO: Bem, poderíamos começar com a parábola do Buddha sobre o homem que se acha em perigo onde está, mas vê segurança no outro lado de um curso d'água. Uma vez que não há ponte ou barco, ele se serve de ramos e faz uma pequena jangada, remando com segurança até o outro lado. Aí então, porque a jangada foi tão útil, ele é tentado a levá-la nos ombros e carregá-la consigo. Contudo, o que deveria fazer, agora que a jangada serviu a seu propósito, é seguir adiante, deixando-a para trás. Igualmente, Buddha disse, o *dharma* (ou em termos cristãos, o Evangelho) tem por objetivo "ser passado adiante, e não ser retido (...); vós, monges, tendo compreendido a 'Parábola da Jangada', deveríeis livrar-vos até mesmo de objetos mentais (certos), e tanto mais deveríeis fazê-lo quanto aos errôneos".[186] Leitores ocidentais de filosofia irão recordar-se, aqui, da afirmação de Wittgenstein: "Minhas proposições são elucidativas neste sentido: aquele que me compreende por fim as reconhece como desprovidas de sentido uma vez que ascendeu para fora por meio

186. *Majjhima Nikaya*, Livro I, 134-5.

delas, em cima delas e sobre elas. (Ele deve, por assim dizer, jogar fora a escada depois de ter subido por ela.)"[187]

Aqui, a idéia básica é a de que os ensinamentos religiosos não são verdades absolutas e eternas, mas idéias humanas que podem auxiliar pessoas a mover-se, em estágios particulares de seu crescimento espiritual, em direção à meta de iluminação, libertação, despertamento ou, em termos cristãos, de salvação. Cada um de nós passa por muitos estágios de desenvolvimento espiritual - incidentalmente, isto é também enfatizado pelo pensamento hindu; e idéias e crenças que nos são úteis, e até vitalmente úteis, numa dada fase, podem deixar de sê-lo numa outra. Sabemos que crianças normalmente passam por uma série de fases em que diferentes tipos de imagens e conceitos são apropriados; e o mesmo é verdade no que concerne à compreensão espiritual que se expande em pessoas adultas assim que acumulam novas experiências de vida e novos recursos intelectuais. Às vezes, damo-nos conta de que crenças, que outrora eram plenas de significado, aos poucos vão desaparecendo e morrendo, ao passo que outras, que antes dificilmente podíamos levar a sério, agora passam a viver em nossas mentes. Seria até mesmo possível dizer, em certo sentido, que diferentes visões da realidade e contextos de significado tornam-se verdadeiros para nós em pontos diferentes de nossa trajetória de vida.

GRAÇA: E o Buddha realmente aplicou isto aos próprios ensinamentos?

JOÃO: Sim, o *dharma* é somente um meio para atingir a experiência da iluminação ou despertamento. Suas verdades são formulações humanas a respeito daquilo que transcende a linguagem e o pensamento humanos, embora possam possuir um valor inestimável no sentido de conduzir as pessoas ao *nirvana*. Isso parece-me uma autocompreensão extraordinariamente profunda - e de fato iluminada, liberta e desperta - da parte de uma tradição religiosa. E o mesmo princípio vale para o cristianismo e para cada uma das outras religiões mundiais. Todas contêm uma rica variedade de idéias, retratos mentais, histórias, conceitos,

187. Ludwig Wittgenstein, *Tractatus Logico-Philosophicus*, 6.54.

doutrinas e práticas; alguns desses elementos falam a um crente e outros a outro, e alguns podem ser mais úteis a um determinado crente em um certo ponto de sua vida, ao passo que outros serão úteis noutro ponto. E todo o *corpus* de idéias, retratos, histórias, doutrinas, práticas espirituais, *ethos* social e formas de vida que constituem uma totalidade religiosa, somente possui valor como um meio para um fim - que conhecemos diversamente como salvação, redenção, centramento em Deus, paz com Deus, iluminação, despertamento.

Se cada uma das religiões mundiais pudesse ver tanto a si mesma como as outras desse modo, permitiriam às pessoas crescer dentro de suas próprias e diferentes tradições de fé, e também seriam capazes de compartilhar recursos espirituais, atravessando as fronteiras tradicionais.

Missão cristã

GRAÇA: Isso nos traz convenientemente a algo que precisamos debater, a saber, a missão. O que tudo isto significa para o movimento missionário cristão?

JOÃO: Bem, a palavra "missão" passou por uma mudança de significado em décadas recentes, e por isso precisamos ter clareza sobre o que, precisamente, estamos falando. O que a maioria das sociedades missionárias cristãs ligadas às Igrejas históricas estão fazendo hoje é muito diferente daquilo que o movimento missionário fez por muitos séculos, antes do colapso final dos impérios europeus, após 1945. No período anterior, o grande objetivo era converter o mundo ao cristianismo. Nos anos de 1890, o movimento de missão estudantil anglo-americano usava o *slogan* "a evangelização do mundo nessa geração", cunhado pelo grande líder missionário John R. Mott. Por volta de 1899, as sociedades missionárias britânicas, consideradas isoladamente, tinham em torno de 10.000 missionários em campo - metade do número de clérigos anglicanos ordenados na Grã-Bretanha.[188] E o lema "nessa geração" foi

188. A. N. Porter, 'Religion and Empire: British Expansion in the Long nineteenth Century, 1780-1914', Inaugural Lecture, King's College, London 1991, p. 3.

usado novamente a inspirar a Conferência Missionária Mundial de Edimburgo, em 1910.

A maioria do que atualmente chamamos de Terceiro Mundo era, naquela época, governado pelo Primeiro Mundo cristão. Isso era verdade no que se referia a todo o subcontinente indiano, a boa parte da África, ao Extremo Oriente, à América do Sul e ao Oriente Médio, onde o Império Otomano chegou ao fim em 1919. Ali, os missionários da Grã-Bretanha, França, Alemanha, Itália, Espanha, Suécia e Holanda tinham acesso mais ou menos aberto sob a égide do poder estrangeiro no governo. Lograram progressos consideráveis na África e na América do Sul, embora tenham tido sucesso comparativamente pequeno na Índia, na Ásia e no Extremo Oriente. Contudo, no período mais recente, as sociedades missionárias se adaptaram à nova situação, em que os antigos territórios coloniais tornaram-se estados independentes, nos quais tem havido um poderoso renascimento da consciência islâmica, hindu, budista ou mesmo "primeva". O resultado disso é que, na atualidade, os missionários ocidentais estão ou servindo como padres e ministros em Igrejas nativas independentes, ou realizando obras educacionais e médicas, ou, ainda, passando adiante técnicas e conhecimentos na área agrícola ou noutras áreas. A missão direta de conversão acha-se agora sob a responsabilidade ou de obreiros nativos ou, principalmente, de grupos evangelicais bem financiados a partir dos Estados Unidos – estes últimos, porém, freqüentemente se utilizam de práticas predatórias diante das comunidades cristãs já existentes, tentando reconvertê-las a seu próprio tipo fundamentalista de cristianismo, e, conseqüentemente, dividindo a Igreja ao invés de aumentá-la. Todavia, enquanto os missionários das Igrejas históricas estiverem atuando com amor cristão, para partilhar alguns dos recursos técnicos do mundo industrializado ocidental com os povos do Terceiro Mundo, seu trabalho certamente deve ser bem-vindo e aplaudido. Mas o projeto mais antigo ao qual a palavra "missão" continua a ser indelevelmente associada nas cabeças da grande maioria, ou seja, o projeto de converter o mundo ao cristianismo, é um completo engano se considerado de um ponto de vista pluralista.

GRAÇA: Suponho que, se a missão tradicional de conversão continuar de algum modo expressivo, provavelmente irá originar-se em países tais como a Coréia, onde floresce uma forma fortemente evangelical de cristianismo, e onde talvez venham a revelar-se as novas fontes da vitalidade industrial. Mas, no fim das contas, não fosse pelos primeiros missionários que trouxeram o cristianismo para a Europa, e daí para a América do Norte, você e eu não seríamos cristãos hoje, e o mesmo se poderia dizer de centenas de milhões de outras pessoas. De fato, o cristianismo – supondo que tivesse chegado a sobreviver – não seria mais do que uma seita messiânica judaica.

JOÃO: Sim, é verdade. Mas neste ponto devemos tomar em consideração uma longa perspectiva histórica. As três grandes religiões missionárias foram o budismo, o cristianismo e o Islã; cada uma delas difundiu-se para muito além de seu lugar de origem – tanto é verdade que atualmente o budismo e o cristianismo contam, em termos comparativos, com uma presença apenas frágil em seus territórios originais. Cada uma destas três grandes religiões começou a existir num lugar e numa época em que um novo e importante impulso religioso se fazia necessário e podia obter sucesso. Tanto faz se consideramos a Índia bramânica do tempo de Buddha, as religiões do Império Romano do tempo de São Paulo e a antiga "igreja" (os cultos de Elêusis e Dionísio, de Cibele e Átis, de Ísis e Osíris, de Adônis e Mitra) ou a Arábia politeísta no tempo do Profeta Muhammad: todas deixaram um vácuo espiritual propício a uma nova mensagem de esperança, oferecendo um significado renovado para a vida das pessoas. Depois disso, o budismo moveu-se após vários séculos para fora da Índia, instalando-se na maior parte do sudeste asiático; o cristianismo conquistou o Império Romano em declínio, herdando toda a Europa como sua esfera de influência, e mais tarde os impérios coloniais produzidos pelas conquistas européias; e o Islã irrompeu com extrema força no interior do Oriente Próximo, da África, da Espanha e do Extremo Oriente, adentrando a Índia, a Indonésia, o sul da Rússia e da China. E assim, no tempo devido, praticamente o mundo inteiro foi tomado por estes movimentos em expansão, ao lado e a par das religiões étnicas remanescentes e as incontáveis religiões tribais de menor dimensão. E desde o momento em que o mapa religioso mundial se estabilizou desta maneira, tem ocorrido poucas conversões em grande escala de uma religião mundial para outra. Como exemplo temos que, depois de um século e meio de atividade missionária irrestrita no subcontinente indiano antes da sua independência em 1947, a comunidade cristã agora equivale, aproximadamente, a apenas dois e meio por cento da população. Têm acontecido, é claro, e sem dúvida sempre acontecerão, conversões individuais em todas as direções por razões individuais. No entanto, qualquer proposta atual de converter o mundo todo ao cristianismo, ou, por hipótese, ao Islã ou a qualquer outra convicção religiosa, representa hoje uma traição contra a paz e a diversidade da família humana.

GRAÇA: Você não acha, contudo, que o evangelho cristão pelo qual vivemos é uma mensagem universal que poderia beneficiar a qualquer um e a todos, onde quer que possam estar? Não deveria, então, este evangelho estar disponível ao mundo todo? Não há, por conseguinte, uma obrigação missionária de difundi-lo amplamente?

JOÃO: Sim, o Evangelho é uma mensagem universal dirigida a todos a cujo coração fala. E a mensagem do Islã, o *dharma* budista, a sabedoria dos sábios indianos corporificada no que chamamos de hinduísmo, e também a do confucionismo e do taoísmo, são igualmente universais e dirigidas a todo aquele a cujo coração falam. Todas estas diferentes mensagens deveriam tornar-se universalmente disponíveis. A *Bíblia*, o *Alcorão*, os ensinamentos de Buddha, os *Upanixades* e o *Bhagavad Gita*, as *Analecta* e o *Tao Te Ching* – e assim sucessivamente – deveriam estar disponíveis em várias traduções por todo o mundo. Neste sentido, cada fé religiosa realmente tem sua própria missão legítima em escala mundial por desempenhar.

GRAÇA: Então, conclui-se que, apesar de tudo, há um lugar reservado aos movimentos missionários.

JOÃO: Sim, embora não no sentido de tentar converter aqueles que se acham comprometidos com uma das outras grandes religiões mundiais.

E contudo, sempre que há um livre fluxo de influências religiosas é possível que alguém que ouve a mensagem cristã - ou a muçulmana, ou a budista etc. - venha a tomar consciência de que, para usar a expressão dos quacres, ela fala à sua condição, e passe a abraçar aquela que, para ele, representa uma nova fé. Todos nós provavelmente conhecemos ex-muçulmanos que se tornaram cristãos, e antigos cristãos que se tornaram muçulmanos; ex-budistas e hindus que se tornaram cristãos, e ex-cristãos que se tornaram budistas ou hindus; judeus que se tornaram cristãos ou budistas, e cristãos que se tornaram judeus. E seria possível aumentar a lista. Mas em todos esses casos temos conversões pessoais que ocorrem por razões pessoais, e são numericamente insignificantes em comparação à transmissão massiva de cada tradição de geração em geração no interior de suas próprias famílias e comunidades.

GRAÇA: Sendo assim, você preferiria que desativássemos as missões de conversão mas encorajássemos a tradução e a distribuição das Sagradas Escrituras e dos escritos secundários de cada tradição, difundindo também conhecimentos acurados sobre elas, bem como o diálogo pacífico entre pessoas de crenças diferentes.

JOÃO: Sim, é mais ou menos isso mesmo.

Diálogo

GRAÇA: Voltemos, então, a este seu diálogo pacífico entre as religiões. Sei que você se coloca a favor deste diálogo por ter estado ativamente envolvido nele por um bom número de anos.

JOÃO: É verdade, durante os últimos vinte e cinco anos, estive envolvido no diálogo com hindus na Índia e no Ocidente; com siques no Punjab; com budistas no Sri-Lanka, no Japão e nos Estados Unidos; com judeus e muçulmanos na Inglaterra e nos Estados Unidos; e também com judeus em Israel. Fui um dos membros fundadores do grupo de Encontro Teológico Budista-Cristão, e do grupo internacional judeu-muçulmano-cristão de diálogo entre eruditos. Em parte por causa disso tudo, mas também independentemente, tenho amigos judeus, muçulmanos, hindus e budistas. Existem muitas pessoas com muito mais experiência desse tipo do que eu; mas descobri que conhecendo pessoas, tanto pessoas comuns como uns poucos indivíduos extraordinários de outras crenças, é uma maneira muito mais válida de vir a compreender sua tradição do que a proporcionada pela leitura de muitos livros. É claro que se deve lê-los, mas com freqüência somente nos dão o retrato oficial de uma religião, que precisa ser preenchida, e algumas vezes corrigida, pelos contatos pessoais. Sendo assim, concordo: sou, sim, a favor do diálogo inter-religioso.

GRAÇA: Bem, como sabe, minha preocupação é com as críticas que têm sido levantadas contra o pluralismo religioso. E o ponto principal que ouço em relação ao diálogo é que as crenças conflitantes dos interlocutores deveriam ser mantidas e discutidas com franqueza, e não reduzidas ou polidamente dissimuladas, seja de que modo for. É como diz um crítico: "Um diálogo entre pessoas que assumem de modo demasiadamente confuso que estão de acordo em todos os aspectos fundamentais e que suas diferenças são secundárias e pouco importantes dificilmente resultará noutra coisa que numa conversa tediosa e improdutiva".[189] O que tem a dizer a este respeito?

JOÃO: Bem, há diversos tipos de diálogo inter-religioso. Existe o tipo que este crítico mencionado por você pensa ser desejável, no qual um cristão ou uma cristã, por exemplo, tenta persuadir um muçulmano ou uma muçulmana de que a experiência do Profeta Muhammad, ao ouvir as palavras do Alcorão, veio de seu próprio inconsciente, em vez de serem ditadas pelo Arcanjo Gabriel em nome de Deus; ou no qual um muçulmano tenta persuadir um cristão de que Jesus não era Deus encarnado – e assim por diante, passando por todas as inumeráveis diferenças de crença entre as religiões mundiais. Mas este tipo de diálogo polêmico

189. Duncan Forrester, 'Professor Hick and the Universe of Faiths', *Scottish Journal of Theology*, Vol. 29, n. 1 (February 1976), p. 71. Ver também, por ex., Julius Lipner sobre 'reduction dialogue'in 'Truth-Claims and Inter-Religious Dialogue', *Religious Studies*, Vol. 12, n. 2 (June 1976), p. 227.

normalmente não produz fruto algum, exceto estranhamento e inimizade mútuos. Tenho certeza de que o sistema oficial de crenças de cada tradição é capaz de passar por desenvolvimentos e modificações desejáveis em muitos pontos; mas isto somente pode ser feito de modo apropriado a partir de dentro das próprias tradições e por seus próprios pensadores. Na qualidade de teólogo cristão, tenho a responsabilidade de tentar contribuir para a reforma contínua da doutrina cristã, particularmente à luz da nossa nova percepção das outras religiões mundiais. No entanto, não cabe a mim atrever-me a dizer a meus colegas muçulmanos, judeus, hindus ou budistas como devem tentar desenvolver suas próprias tradições em resposta a esta mesma nova percepção.

GRAÇA: Desse modo, no diálogo inter-religioso, você nunca discute ou critica?

JOÃO: Mas é claro que sim! Em situações de confiança e respeito mútuos, tenho feito perguntas críticas sobre algumas das doutrinas e práticas de outras tradições; e também tenho ouvido perguntas críticas sobre algumas doutrinas e práticas cristãs. Por vezes, pode ser muito salutar saber como os outros nos vêem. Apesar disso, ao final de tudo, a mudança deve surgir de dentro de uma tradição religiosa.

GRAÇA: E tal mudança estará de fato acontecendo?

JOÃO: Sim, até certo ponto, apesar de os grandes movimentos institucionalmente organizados estarem, hoje em dia, seguindo noutra direção, que conduz a certos tipos de fundamentalismo. Todavia, do mesmo modo que há atualmente um grande número de teólogos cristãos, cuja contribuição está produzindo uma mudança gradual na perspectiva de cristãos dados à reflexão, também há pensadores judeus, muçulmanos, hindus e budistas - ainda que, provavelmente, em menor número - realizando um trabalho análogo dentro de suas próprias tradições. E isto é, no mais das vezes, suscitado por um tipo de diálogo inter-religioso diferente do diálogo polêmico.

GRAÇA: E qual é este tipo?

JOÃO: Ora, penso, por exemplo, nos diálogos budistas-cristãos de que tenho participado por vários anos e até bem pouco tempo. Estes diálogos, nos quais estudamos juntos as idéias e os textos básicos do budismo e do cristianismo, envolveram cerca de vinte teólogos cristãos, a maior parte dos Estados Unidos, e cerca de vinte eruditos budistas, a maior parte do Japão e dos Estados Unidos, representando as tradições zen e tibetana. Do lado cristão, ficamos fascinados ao aprender sobre conceitos tão estranhos para nós como o de *anatta* ("não-eu"), *sunyata* ("vazio") e *upaya* ("meios hábeis"). Nestes encontros, e noutros encontros pessoais fora deles, alguns de nós também se interessaram por notar os efeitos da prática do *zazen* e de formas tibetanas de meditação num grau notável de distanciamento do interesse próprio, seguido de um florescimento da serenidade e da bondade. Este encontro com o budismo está afetando o modo de um grupo de importantes teólogos estadunidenses realizar seu trabalho. Nenhum deles se tornou budista, mas penso que todos ficaram impressionados pelas intuições e valores budistas, bem como por sua manifestação concreta em muitos adeptos do budismo. Não cabe a mim dizer como nossos colegas budistas foram afetados por seus encontros com o cristianismo. No entanto, não resta dúvida de que a partilha pessoal e amigável e o estudo com seriedade intelectual de idéias, histórias e experiências, mesmo entre pessoas de tradições em teoria tão diferentes como o cristianismo e o budismo – o primeiro sendo teísta, e o segundo não-teísta – podem ser extremamente valiosos. Pode haver uma influência mútua que, inclusive, em algum momento futuro, conduza a uma convergência em que as duas tradições se possam ver como respostas diferentes ao mesmo mistério último. E o mesmo vale para as outras grandes tradições.

GRAÇA: Você falou sobre o diálogo organizado entre profissionais religiosos. Mas o que dizer dos encontros cotidianos, mais comuns?

JOÃO: Bem, estes são tão ou mais importantes que os do tipo já mencionado. Em vários países, pessoas de diferentes religiões há tempo se acostumaram a conviver, freqüentemente como vizinhos e amigos. Em situações como estas, prevalece um tipo de pluralismo religioso implícito em que, na prática, cada pessoa considera a outra como legítima seguidora de sua própria, e estranhamente diferente, tradição herdada.

GRAÇA: Por outro lado, há inúmeras situações nas quais as diferenças religiosas operam no sentido de validar e intensificar conflitos políticos – a guerra entre o Irã e o Iraque; a guerra entre a Bósnia e a Sérvia; os conflitos comunitários entre hindus e muçulmanos na Índia; o conflito republicano-unionista na Irlanda do Norte; o conflito entre israelenses e palestinos; e, por fim, os conflitos em muitas outras áreas em que a religião teve sua condição de bênção transformada em maldição. Para tomar apenas um caso como exemplo: não é fato evidente que, na disputa entre Israel e Palestina, foram justamente as pessoas mais religiosas dos dois lados – "religiosas" no sentido daquelas com as crenças mais absolutas – que constituíram o maior obstáculo para uma solução pacífica?

JOÃO: Sim, é verdade. E isto pode acontecer porque o aspecto absolutista de cada religião motiva jovens a se dispor a matar e morrer em prol de uma "causa sagrada". O caráter absoluto da justificação – a vontade de Deus, ou a Santa Igreja ou uma tradição reverenciada – pode adquirir poder para validar qualquer coisa. Mas se este caráter absoluto fosse desmantelado pela percepção de que nossa própria religião é somente uma entre várias respostas humanas válidas ao Divino, a religião poderia tornar-se uma força curativa, deixando de ser uma força divisiva no mundo.

GRAÇA: Está bem. Chegamos, agora, a uma última pergunta. Você reivindica, como acabou de dizer, que as grandes religiões mundiais são diferentes respostas humanas à mesma Realidade Última. Então, você parece crer que, na medida em que passam a aceitar isso, as religiões deveriam unir-se, de modo a existir, algum dia, uma única religião global? É esta a sua opinião?

JOÃO: Não, não é! Do mesmo modo que a contínua variedade de culturas humanas, também a contínua variedade de formas religiosas tem grande valor. O que se deve esperar no futuro, penso eu, é que, ao mesmo tempo que continuarão a ser distintivamente diversas, as diferentes tradições gradualmente irão, cada uma delas, abandonar aquele aspecto que implica sua própria superioridade única, influenciando e deixando-se influenciar no diálogo inter-religioso, com algum grau de transformação mútua, em que cada tradição enriquece e é enriquecida pelas outras. Assim, podemos esperar que, no final, a relação entre as religiões seja mais facilmente comparável à relação existente entre a maioria dos principais grupos do cristianismo de hoje. Pois, ao menos no que diz respeito às Igrejas históricas – embora se deva admitir a existência de alguns deslizes ocasionais –, todas chegamos a reconhecer as outras como formas diferentes embora legítimas de cristianismo. Não sou obrigado, por exemplo, enquanto cristão formado pelo presbiterianismo,[190] a pensar que os católicos, os batistas, os luteranos, os congregacionalistas, os episcopais, os quacres – e assim por diante – devam todos tornar-se presbiterianos, ainda que possa pensar, e pense, que algumas das outras Igrejas podem aprender algo da tradição presbiteriana, e que os presbiterianos podem aprender algo das outras tradições. Penso também que, de modo semelhante, está se tornando verdadeira a tese de que, enquanto cristãos, não devemos pensar que budistas, muçulmanos, judeus e hindus devam tornar-se cristãos, embora possamos bem pensar que todas estas religiões podem aprender algo do cristianismo e que, por sua vez, o cristianismo pode aprender algo de cada uma delas. Mas o único sentido em que, talvez um dia, mesmo num futuro remotamente previsível, possa haver uma única religião mundial, é este: que as tradições que continuam a existir possam chegar a ver-se mutuamente como diferentes formas de resposta à mesma Realidade transcendente.

GRAÇA: Tudo bem. Não sei por enquanto até onde concordo com isso; mas, apesar disso, que o Real esteja contigo!

JOÃO: E contigo também.

---

190. Fui ordenado na Igreja Presbiteriana da Inglaterra, que subseqüentemente se uniu à União Congregacional da Inglaterra e Gales para formar a Igreja Reformada Unida.

VI

Um cristianismo que se vê uma religião verdadeira entre outras

O caráter mutável do cristianismo

A ampla visão pluralista das grandes religiões mundiais, que as toma como respostas humanas diferentes mas autonomamente válidas à Realidade Última que denominamos Deus, é hoje em dia muito difundida entre os cristãos, particularmente entre aqueles que conhecem pessoas de outras religiões, seja na condição de vizinhos ou concidadãos. Isso se revela mais amiúde no tratamento prático dispensado às pessoas próximas do que em crenças formuladas explicitamente. Para muitos, tornou-se um pressuposto da vida diária que nossos amigos e conhecidos judeus, muçulmanos, hindus, siques ou budistas têm um direito tão pleno aos olhos de Deus de viver segundo suas próprias tradições religiosas quanto nós de viver segundo as nossas. Ao considerá-los pessoas que têm sua própria forma autêntica de fé, ao invés de ter pena deles como almas perdidas, já estamos operando com uma teologia implicitamente pluralista. Não sentimos nenhuma obrigação de tentar convertê-los ao cristianismo; antes pelo contrário: passamos a vê-los como pessoas que, a seu próprio e diferente modo, estão relacionadas a Deus, ou ao que é Real em última instância.

Contudo, é função da filosofia e da teologia tornar explícito e consistente o que nossa experiência nos levou a aceitar implicitamente. E ao fazermos isso, descobrimos que o pluralismo religioso desafia alguns dos nossos dogmas tradicionais. Isso não requer que nenhuma das idéias cristãs básicas seja abandonada, mas sim que sejam compreendidas de novo, em estilos não tradicionais. Estas novas maneiras são conjuntamente indicadas pelas descobertas da pesquisa bíblica moderna e por nossa experiência dos frutos morais e espirituais das outras religiões mundiais. Os estudos do Novo Testamento têm mostrado que o Jesus histórico não reivindicou ser o Deus encarnado, e que aquelas que conhecemos como as doutrinas da Encarnação, Trindade e Expiação foram tendo suas proporções aumentadas, a ponto de se desenvolverem em construções teóricas que em muito ultrapassam a experiência original à qual se relacionam; tornaram-se dogmas oficiais e definidores que, por implicação, seletivamente destacam a vida e a morte de Jesus como o *locus* exclusivo da salvação, e o cristianismo como a única religião fundada por Deus em pessoa. Não obstante – e eis aqui o problema –, esta implicação de superioridade religiosa não é confirmada pela vida real da Igreja ou dos indivíduos e culturas cristãos. É este impacto conjugado dos modernos estudos do Novo Testamento e de uma ausência óbvia de frutos superiores na vida humana que levou a uma concepção transformada do cristianismo e de seu lugar no mundo.

No entanto, poderá haver uma forma de cristianismo que reverencie Jesus como seu mestre e inspirador supremo, mas que não o considere literalmente Deus encarnado?, que busque nutrir homens e mulheres com o intuito de conduzi-los do autocentramento a um novo centramento em Deus, e que promova, assim, não só o altruísmo de indivíduos, mas também o altruísmo social, nacional e internacional?, e que veja a si mesmo como um grande caminho espiritual entre outros, desenvolvendo relações amigáveis e cooperativas com outros caminhos?

A questão, na realidade, se desdobra em duas, uma teológica e outra eclesiástica.

Teologicamente, temos de perguntar: seria isso ainda cristianismo? O cristão não se define como aquele que crê ao menos nas doutrinas cristãs centrais?; e a revisão aqui proposta não abandona essas doutrinas centrais? O primeiro passo é afirmar o princípio de que a fé cristã é, posto de modo bem simples, o que os cristãos em geral crêem, observando que isto tem variado enormemente ao longo dos séculos. Mas será possível que haja o tipo de desenvolvimento substantivo, ou "mudança de paradigma", ao qual conclama o pluralismo religioso? Quando fazemos uma retrospectiva histórica buscando a forma sempre mutável da fé cristã, a resposta tem de ser "sim". Isso porque, embora as grandes palavras e símbolos cristãos – Deus, Cristo, Trindade, Virgem Maria, Cruz, Igreja, Corpo e Sangue, Céu e Inferno etc. – tenham permanecido constantes através dos séculos, seu sentido variou num grau surpreendente na comparação entre diferentes épocas e lugares.

Posso ilustrar esta tese baseando-me numa parcela representativa do cristianismo de uma parte típica da Europa medieval. Dennis Nineham investigou recentemente o que o cristianismo significava para os crentes comuns do norte da França por volta do final do primeiro milênio. Ao compararmos a perspectiva religiosa de mil anos atrás com a das principais Igrejas de nosso tempo, descobrimos que, exceto pela continuidade institucional da Igreja, dificilmente há qualquer coisa em comum além do nosso uso dos mesmos grandes símbolos. Hoje, para nós, Deus é, acima de tudo, amor infinito. Para eles, Deus era um poder remoto, arbitrário, terrificante. Dificilmente o contraste poderia ser maior. Ao passo que nos vemos como filhos e filhas de um Pai celeste, eles se viam como servos de um Senhor todo-poderoso cuja honra fora ofendida por sua desobediência, de sorte que a maioria dos homens e mulheres estavam destinados aos tormentos eternos do inferno. Para citar Nineham:

> Numa era em que, como vimos, havia pouco entendimento acerca de causas secundárias, os males que afligiam a sociedade eram considerados castigo de Deus; achava-se que Ele de fato devia estar irado com seu povo se infligia tanto sofrimento a eles. Também, em nível pessoal, as mortes e doenças dos indivíduos eram interpretadas como castigo divino pelo que haviam feito, mesmo se, em muitos casos, ninguém podia estar

> seguro do que tinham feito. Acreditava-se que Deus era capaz de produzir o massacre de incontáveis tropas inimigas – a maioria delas de recrutados – para assegurar a vitória de um exército que tinha obtido Seu favor; e deve-se lembrar que a doutrina ortodoxa não tinha dúvida ou escrúpulos sobre Sua intenção de condenar a grande maioria da população mundial, incluindo todos os bebês que morreram sem batismo. Causa pouca surpresa se um Senhor celeste deste tipo parecia tão arbitrário e ditatorial quanto qualquer senhor terreno.[191]

Pois, como diz Nineham, "para a maioria das pessoas, como vimos, Deus mesmo apareceu na condição de senhor terrível, remoto e inescrutável, intensamente preocupado com sua honra e pouco disposto a mostrar seus favores, até que a honra tivesse sido plenamente satisfeita. Implacável com seus inimigos, era um Deus que não hesitava em infligir tortura eterna à grande maioria de suas criaturas humanas, inclusive a muitos que não haviam tido a oportunidade de saber a seu respeito, e todos que tinham morrido sem batismo na infância. Não só o batismo, mas também a aceitação completa do credo cristão, particularmente no momento da morte, era condição absoluta para se desfrutar de seu favor".[192]

Hoje, quando pensamos em Jesus, pensamos principalmente na sua humanidade, naquele que partilha plenamente as dores e tristezas da vida humana, e que freqüentemente está do lado dos pobres e oprimidos e que é, assim, o fiador da nossa exigência por justiça e paz na Terra. No entanto, no mundo medieval, "acreditava-se que, durante sua vida terrena, Jesus era o Filho de Deus em pessoa, revestido da panóplia de Seus atributos divinos, cuja assunção de humanidade não envolvia perda nenhuma da onisciência e onipotência, e que estava supervisionando o universo no momento exato em que mamava do leite de sua mãe ou pronunciava suas parábolas na Galiléia".[193] Jesus era descrito como "o

---

191. Dennis Nineham, *Christianity Medieval and Modern*, London: SCM Press, 1993, p. 48.
192. Ibid., p. 231.
193. Ibid., p. 234-5.

pantocrator, o governante de tudo, retratado com coroa, trono, sol, lua, com o alfa e o ômega, com símbolos do poder universal e cultuado por exércitos de anjos e anciãos do Antigo Testamento em adoração".[194] Ele não significava de fato o amor divino que desceu ao nível humano, como significa nas mentes de tantos cristãos e cristãs da atualidade. Com a importante exceção dos místicos, havia pouca compreensão para um relacionamento pessoal vivo com Cristo ou Deus:

> Independentemente do contexto em que se buscava a aproximação do divino, fazia-se isso pelos meios proporcionados pela ordem eclesiástica, que no mínimo tendiam a ser tidos como meios efetivos *ex opere operato*, e que na maioria dos casos exigiam a intermediação do clero. Numa atmosfera dessas, marcada por transações e negociações, a relação pessoal com Deus estava propensa a desaparecer e ficar em segundo plano. Do mesmo modo que o rei era uma figura demasiadamente remota para um contato imediato, sendo necessário dele aproximar-se através de um de seus cortesãos, também, para a maioria das pessoas, Deus era uma figura infinitamente remota e terrível, a ser alcançado somente através dos amigos da corte, dos anjos, ou, mais comumente, dos santos. Era somente com os santos que se podia esperar qualquer relacionamento pessoal, para não dizer intimidade; somente a partir deles era possível experienciar qualquer afeto real ou bondade amorosa na esfera religiosa. Nem mesmo Jesus era o objeto de devoção em que iria mais tarde se tornar. Sem dúvida, os santos eram o real objeto de uma grande parcela da devoção do início do medievo, e, como vimos, eram tidos, na prática, como poderes quase independentes que respondiam a orações e operavam milagres por conta própria. Na questão do perdão e aceitação de Deus, a única esperança residia neles e em sua disposição de interceder em seu favor.[195]

194. Ibid., p. 47.
195. Ibid., p. 232.

Tudo isso está muito longe do cristianismo da típica comunidade católica, ortodoxa, luterana, reformada, anglicana, metodista ou pentecostal de hoje. E se perguntarmos como as grandes palavras e símbolos cristãos podem ter sido usados para exprimir significados tão vastamente diferentes, a resposta obviamente residirá nas mudanças que aconteceram no lado humano da relação entre o divino e o humano.

Isso também é ilustrado pelo modo com que as sucessivas interpretações do significado da cruz de Cristo refletiram as condições sociopolíticas da sociedade na qual surgiram. No primeiro e mais longo período, que cobre quase mil anos, compreendia-se a cruz principalmente em termos sugeridos pela idéia de resgate, derivando-se tal compreensão do dito de Jesus, segundo o qual "o filho do homem não veio para ser servido, mas para servir, e para dar sua vida como resgate por muitos" (Marcos 10.45). No mundo do tempo de Jesus, grande parte da população era escravizada, seja como prisioneiros de guerra, seja como cidadãos de uma cidade ou país derrotado, ou ainda como filhos e filhas de tais cidadãos. Ser resgatado da escravidão era uma poderosa metáfora para uma nova vida liberta da dominação do pecado. A Igreja, porém, cometeu seu erro quase invariável de tomar a metáfora literalmente, fazendo a pergunta inevitável: Em favor de quem foi pago o resgate? "Para quem ele deu sua vida como 'um resgate por muitos'? Não pode ter sido para Deus. Não terá sido, então, para o maligno? Pois este nos manteve cativos até lhe ser pago o resgate por nós, e até mesmo a alma de Cristo lhe ser paga".[196] Esta foi, por muitos séculos, a maneira que o significado da cruz foi compreendido, não somente por pessoas simples, mas também por teólogos crucialmente influentes como, por exemplo, Santo Agostinho.

E contudo, no século XI, Santo Anselmo, libertando-se do paradigma existente, indagou como o demônio poderia ter direitos legais válidos contra o Criador infinito.[197] Isso o levou a propor, ao invés, uma teoria

---

196. Orígenes, citado por L. W. Grensted, *A Short History of the Doctrine of the Atonement*, Manchester University Press, 1962, p. 38.

197. Santo Anselmo, *Cur Deus Homo*, Livro I, cap. 7.

da "satisfação", que refletia o estado contemporâneo da sociedade européia em que a regra da lei exprimia a vontade e o poder de um senhor feudal. Romper com sua lei significava impugnar seus direitos e insultar sua honra, de sorte que era necessário prestar uma satisfação adequada, quer pelo castigo do malfeitor, quer por alguma alternativa aceitável; assim, a morte de Jesus foi vista como uma satisfação plena e final oferecida a Deus pelos pecados do mundo.

Todavia, aproximadamente na época da Reforma, já cinco séculos mais tarde, a lei passara a ser vista diferentemente, não mais como algo que brotava da vontade de um governante, mas, agora, como uma exigência objetiva à qual até mesmo o governante está sujeito. Deus, dizia-se então, além de ser um Deus amoroso era também justo, e como tal não poderia desistir da lei moral imutável que demandava a punição apropriada pelo pecado. Sendo assim, o Deus Filho, em seu amor infinito, suportou em nosso lugar a pena inexorável pelos pecados do mundo. Mas mesmo esta idéia é vulnerável a uma crítica óbvia. Como poderia ser justo punir o inocente em vez do culpado? E, mais fundamentalmente, não se dá antes que todas essas idéias – seja a de um resgate a ser pago, a de uma satisfação a ser dada, ou a de uma punição a ser suportada – excluem toda e qualquer idéia de perdão genuíno daquele que verdadeiramente se penitencia? Pois, em vez de perdão livre, há meramente o registro do fato de que a dívida foi quitada!

Foi por isso que a morte de Jesus se tornou, para muitos cristãos e cristãs de hoje, a manifestação de um amor autodoador que é um reflexo terreno do amor divino, e não uma transação expiatória com o fim de capacitar Deus a perdoar pecadores. Mas isto representa uma transformação da compreensão cristã que, até mais ou menos o século passado, teria parecido totalmente herética, e que mereceria os mais horrendos castigos.

Já fiz referência[198] a como, durante os últimos cem anos, o dogma católico "fora da Igreja não há salvação" foi gradualmente sendo esvaziado

198. Ver página 116 da presente edição (N.T.)

de significado a fim de evitar suas terríveis implicações. Todavia, a mais recente transformação representativa na doutrina cristã como um todo resultou da "guerra da ciência com a teologia",[199] provocada pelo irresistível poder explicativo da teoria de Darwin – publicada pela primeira vez em 1859 – de uma evolução das espécies por seleção natural, teoria incompatível com a crença bíblica da criação das diferentes espécies em seu estado atual e da humanidade como uma criação especial separada da vida animal; e, ao mesmo tempo, pela descoberta dos geólogos de que a idade da Terra é medida em milhões de anos, demolindo, desse modo, a cronologia bíblica de acordo com a qual a Terra foi criada somente há cerca de 6.000 anos. Paralelamente a estas descobertas científicas modernas, a moderna "crítica bíblica" começou a estudar as Escrituras do mesmo modo que os historiadores examinam o resto da literatura antiga. Começando com Antigo Testamento, este tipo de análise questionou a autoria mosaica do Pentateuco; distinguiu fios de tradição diferentes e incompatíveis, com diferentes concepções de Deus, nas narrativas do Gênese e noutras passagens; e desvelou, nas narrativas bíblicas, enormes distorções políticas da História Antiga – solapando, deste modo, a crença então aceita na inspiração verbal da Bíblia. Em seguida, a exegese do Novo Testamento desmantelou a suposição natural de que os evangelhos foram quatro relatos acerca da vida de Jesus oferecidos por testemunhas oculares. Conseguiu-se calcular as datas aproximadas dos evangelhos, que começam cerca de quarenta anos após a morte de Jesus; mostrando de que modo Mateus e Lucas são dependentes de Marcos, e como o Evangelho de João retrata um Cristo em muito diferente dos "sinóticos" anteriores; apontando numerosas contradições entre as quatro narrativas; e também começando a ver Jesus como uma figura genuinamente humana no contexto do judaísmo do seu tempo. Tudo isso tornou possível considerar o Novo Testamento como uma coleção de escritos humanos

199. Esse era o título do livro de A. D. White, Presidente da Cornell University, *A History of the Warfare of Science with Theology in Christendom* (1896), 2 v., New York: Dover Publications, 1960.

que expressam uma resposta de fé particular a Deus e, desse modo, como Palavra de Deus em sentido metafórico, e não como palavras literais de Deus.

Atualmente, temos por assentada a forma de crença cristã que resultou dos impactos da ciência moderna e da moderna exegese bíblica. Mas a mudança do sistema de crenças oriundo de nossos antepassados equivale a nada menos que uma revolução intelectual, que eles outrora teriam visto com horror, algo que significaria o fim do cristianismo! Vemos um fenômeno parecido hoje em dia no temor de que a aceitação do cristianismo como uma resposta humana válida ao Divino, e válida entre outras, significaria a morte do cristianismo. Mas, como no caso das transformações teológicas anteriores, tal aceitação seria *ou* sua morte, *ou* seu renascimento num novo estágio da consciência humana, desta vez o estágio da consciência global.

Em termos teológicos, segue-se que a autocompreensão transformada do cristianismo, exigida pelo reconhecimento de nosso lugar dentro da situação humana mais ampla, é viável, sendo de fato inevitável, caso se queira uma fé cristã crível para o século XXI.

Mas será que isso é possível em termos eclesiásticos? Será possível em termos práticos, dadas as formas institucionalizadas existentes de cristianismo, em tão grande medida controladas por Papas, Patriarcas, Cardeais, Arcebispos, Bispos, Assembléias Gerais e Conferências anuais?

O fato de que os líderes da Igreja são, de modo geral, avessos à mudança, não é em si mesmo teologicamente significativo. Isso sempre foi assim desde que o Império Romano adotou o cristianismo no quarto século como a religião estabelecida. Dentro da Igreja, há toda uma variedade de vocações diferentes, e o papel reconhecido dos dirigentes eclesiásticos é o de conservar a herança do passado, e não o de engajar-se em novas investigações. Este é um papel importante e necessário, digno de pleno respeito. Mas também é necessária a presença de outros, que busquem novos caminhos de pensamento na situação humana que sempre muda. E quando (como vimos nos debates entre ciência e religião do século XIX), depois da publicação de muitos livros e artigos de revistas, que causam uma demorada discussão em muitos níveis e gradualmente produzem mudanças cumulativas de perspectiva, um novo consenso finalmente emerge, a liderança oficial da Igreja acabará por endossá-lo, e então será ortodoxia! Isso tem acontecido em todos os momentos da história e, enquanto o cristianismo for uma corrente viva e em desenvolvimento da vida religiosa, continuará a acontecer.

Devemos lembrar, porém, que as mudanças teológicas nunca são uma pura ruptura com o passado. Muito ao contrário, doutrinas descartadas normalmente continuam a ter lugar dentro das liturgias das Igrejas, de sorte que ainda hoje falamos na Igreja de Adão e Eva e de sua Queda como se fossem pessoas reais e um acontecimento real do passado distante; da morte de Jesus na cruz como um resgate, satisfação ou punição em nosso favor; e da escuridão cobrindo as terras pagãs que devem ser salvas da perdição pela luz do Evangelho. Porém, mais importante que isso é o fato de existir uma vasta área da cristandade – tanto no Ocidente tradicionalmente cristão como naqueles que outrora eram campos estrangeiros das missões – que nunca assimilou as transformações teológicas tão amplamente aceitas dentro das principais Igrejas ocidentais, área esta que consiste na grande variedade de formas fundamentalistas e evangélicas do discipulado de Jesus.

Numericamente, é provável que a grande maioria dos cristãos, assim como a maioria dos adeptos de todas as outras religiões mundiais, seja formada de crentes conservadores ou tradicionais. Mas existe uma diferença entre o conservadorismo irrefletido da maioria dos que praticam sua fé, com pouca ou nenhuma preocupação por questões teológicas, e aquele conservadorismo articulado do cristianismo fundamentalista e evangélico, que teve início no começo dos anos de 1990, numa reação consciente contra um crescente cristianismo liberal, e que hoje se tornou um movimento tão extenso e poderoso com sua própria plataforma política e religiosa de direita. Atualmente, a divisão entre cristianismo fundamentalista/evangelical e cristianismo liberal perpassa as diferentes denominações, não sendo fator de diferenciação entre elas. Existem cristãos de ambos os tipos – ou antes, de ambas as famílias de tipos – dentro de quase todas as Igrejas. Há, por conseguinte, duas mentes, a compreender o mundo diferentemente, dentro da mesma entidade eclesiástica.

Quando olhamos para o futuro, uma das possibilidades é a de que também o corpo das Igrejas se dividirá em dois, de modo a haver então, visivelmente, dois cristianismos. Se isto acontecer, um deles será predominantemente fundamentalista, mas também incluirá sob suas asas alguns elementos evangelicais e ultraconservadores; e o outro será liberal e, com toda probabilidade, crescentemente diverso. Nesse caso, os dois tipos de cristianismo veriam o outro como um desastre religioso. Mas isso seria um desdobramento lamentável. Por um lado, deixaria milhões de cristãos numa zona de lusco-fusco intelectual, sujeita à influência de extremistas fundamentalistas, por vezes perigosos. Pois percebe-se atualmente que em muitas áreas da mais intensa confrontação – por exemplo, no conflito entre israelitas e palestinos e no conflito católico-protestante da Irlanda do Norte etc. – são os fundamentalistas dos dois lados que mais contribuem para intensificar e prolongar os conflitos. Seria preciso acrescentar, porém, que também existem muitos dentro da ala fundamentalista/evangelical do cristianismo, aos quais não se aplica a crítica de que sua fé tende a intensificar os conflitos políticos. Mas, apesar disso, é inegável que o absolutismo religioso, ao pregar a superioridade única da própria tradição em contraposição a todas as outras, continua a despertar nos jovens uma prontidão a matar e morrer pelo que consideram uma causa sagrada. E, por outro lado, uma divisão entre os dois cristianismos deixaria milhões de outras pessoas com a liberdade de fazer experiências, mas expostos ao perigo de perder contato com seus ancestrais na fé – entre os quais havia tanto grandes santos, místicos e pensadores, como também aqueles que usaram a religião como uma forma de controle social e uma legitimadora da opressão e exploração humanas. No que se refere ao desenvolvimento da crença cristã, é enormemente preferível que os dois cristianismos continuem a coexistir, mesmo que em constante atrito, dentro das mesmas estruturas eclesiásticas; pois então continuará a haver a possibilidade de diálogo e influência mútua, e a possibilidade de que as idéias mais convincentes gradualmente venham a prevalecer.

Uma perspectiva a partir do ano 2056

Vamos, agora, dar um gigantesco salto imaginativo e considerar qual pode ser o estado do cristianismo no período de duas gerações, na ala mais liberal ou progressista do cristianismo, se a visão pluralista nela continuar a obter aceitação. Prevejo que a outra ala, a fundamentalista/evangelical, irá continuar a ter poder, inclusive com possibilidade de separar-se para formar uma estrutura ou estruturas eclesiais distintas. Mas aqui considero as mudanças que podem vir a ocorrer dentro de um cristianismo que chegou a ver-se não mais como a única e exclusiva fé verdadeira, mas como uma forma de fé entre várias.

Falando no tempo presente, mas como se estivéssemos no ano 2056 de nossa era, a prenunciada morte vagarosa da religião sob o ataque da modernidade secularizante e da "pós-modernidade" não aconteceu. Parece, ainda, que a raça humana é inatamente religiosa, dotada com uma tendência não-erradicável de pensar o elemento natural à luz do sobrenatural. A tentativa de educar populações inteiras para abandonar esta tendência, na Rússia e na China, por exemplo, acabou por fracassar; e novas formas de religião, inclusive formas seculares, continuam a aparecer numa profusão assombrosa. As maiores religiões mundiais em termos numéricos são o islamismo e o cristianismo, cada uma delas contando (ao menos nominalmente) com cerca de 1,25 bilhões de homens e mulheres. O rápido crescimento do Islã, que ultrapassou o cristianismo logo no início deste século, atingiu seu pico há cerca de vinte e cinco anos, na medida em que a explosão populacional no Terceiro Mundo chegou ao final. Também houve uma grande expansão da influência do budismo no Ocidente; e também de novas formas sincréticas de espiritualidade.

As Igrejas cristãs ainda se acham divididas nos ramos do catolicismo romano, da ortodoxia oriental e daquelas provindas da Reforma do século XVI, mas as relações entre elas são bem mais próximas e amigáveis, e várias fusões aconteceram entre os movimentos reformados. A Igreja católica começou a ordenar mulheres ao sacerdócio no início do século XXI, e dentro de uma geração várias mulheres chegaram ao episcopado. O grande papa reformador, João XXIV, fez várias delas cardeais, e embora não representem maioria no colégio dos cardeais, nutre-se uma grande esperança de que o próximo papa seja uma mulher.

A vida das Igrejas continua essencialmente a transcorrer como no passado, apesar de a teologia predominante, e conseqüentemente parte da linguagem, estar mudando nesses últimos cinqüenta anos. As celebrações ainda são, em graus variáveis, ocasiões em que as pessoas se reúnem para abrir seus corações e mentes à realidade divina em sua oniabrangência, e nas quais têm renovada sua confiança básica na fonte de toda vida. Elas se tornam capazes, por meio das histórias, da poesia, das metáforas, da figuração e do ritual dramático de uma tradição antiga e rica, a regozijar-se juntos na bondade da criação, e a consolar-se e apoiar-se mutuamente nas durezas, limitações, fracassos e tragédias da vida. E, ao fazer isso, encontram-se e encorajam-se reciprocamente a trabalhar por eqüidade e paz em sua própria sociedade e no mundo. As mensagens centrais da teologia da libertação, da teologia feminista e mulherista[200] e da teologia ecológica foram já assimiladas, e as Igrejas principais ou históricas têm cada vez mais se dedicado a trabalhar pela justiça social, pela igualdade de gênero e por um estilo de vida humana sustentável que preserva o frágil equilíbrio do meio-ambiente global. O cristianismo é "mais verde", mais humano e politicamente mais responsável do que no passado.

---

200. Introduzimos o neologismo "mulherista" dada a intenção do autor em distinguir duas vertentes distintas do que, para nós, seria uma única "teologia feminista", mas que no mundo anglo-saxão são na realidade duas: *feminist and womanist theology*. (N. T.)

Em termos teológicos, a encarnação divina na vida humana agora é vista como algo que acontece sempre que e onde quer que os desígnios de Deus sejam acolhidos de livre vontade. Definida nesses termos, a "encarnação" não significa a posse de duas naturezas completas, uma divina e outra humana, mas um modo metafórico de referir a abertura para Deus e a resposta obediente a Ele – de sorte que, sempre que um homem ou uma mulher livremente realiza a vontade divina, Deus se torna, já nesta ação, encarnado na Terra. A vida de Jesus é vista como uma ocasião notável da encarnação divina. A idéia de Trindade já não implica três centros da consciência e vontade divinas misteriosamente inter-relacionados, mas é um símbolo do tríplice caráter de nossa consciência humana de Deus – Deus como fonte criativa de toda vida, poder salvífico transformador e espírito divino que vive em nós.

Nos setores da Igreja universal em que se tornou vigente a visão pluralista, o culto é explicitamente dirigido a Deus, e não a Jesus, à Virgem Maria ou aos santos. Foi este o resultado de um processo contínuo de revisão litúrgica, que cada vez mais encontrou sua inspiração central na Oração do Senhor ou Pai-Nosso. Os revisionistas enfatizaram que nessa oração somos ensinados a dirigir-nos diretamente a Deus como ao Pai celeste, e não através de qualquer mediador, e a implorar por perdão, com a expectativa de recebê-lo – com a única condição (mas esta é uma grande condição!) de que nos perdoemos mutuamente. Já não se dá a entender que a aceitação de nossas pessoas por Deus teria como condição a morte de Jesus compreendida como sacrifício expiatório. De fato, não há nenhuma referência nesta oração, ensinada por nosso senhor em pessoa, às idéias de encarnação, trindade ou expiação desenvolvidas posteriormente pela Igreja.

Tanto no contexto do culto comunitário como do privado, orações de adoração, ação de graças, confissão e intercessão continuam a ser essencialmente as mesmas do século XX, com a diferença de que agora a bondade e a misericórdia de Deus não são buscadas "por causa de Jesus", mas com base na natureza divina eterna.

Os sacramentos tradicionais continuam a ser praticados como aspecto vital da Igreja. A eucaristia é vista como o ato simbólico central, que nos liga a uma corrente de memória histórica com Jesus e seus primeiros discípulos, e em solidariedade uns com os outros e com nossos predecessores na fé através dos tempos. O batismo continua a existir como a dedicação de uma criança a Deus e como sua recepção (que ocorre também no caso de um adulto) no interior da Igreja. O matrimônio é considerado por alguns um sacramento, e por outros, uma passagem solene e a bênção de uma união. Os sepultamentos continuam a seguir o modelo tradicional. É aqui que chega a um ponto decisivo a divisão entre duas compreensões da religião: de um lado, a não-realista; do outro lado, a realista (ou, mais exatamente, realista-crítica). Como já acontecia há cinqüenta anos, os membros do clero que optaram pelo não-realismo consideram a idéia de que nossa vida presente seria parte de uma existência bem mais ampla, na qual o projeto humano finalmente atinge seu desfecho, como uma ficção, ao passo que outros clérigos e pessoas leigas consideram tal idéia muito seriamente – alguns buscam apoio para a crença na continuidade da vida após a morte, inclusive a partir de certos avanços na parapsicologia, e um número crescente de pessoas demonstra simpatia por várias formas de crença na reencarnação.

De modo geral, usa-se ainda o Credo "dos Apóstolos", mas não como expressão literal da crença contemporânea, e sim como um símbolo da continuidade da Igreja ao longo do tempo. Embora inúmeros novos hinos tenham sido compostos e nova música tenha sido produzida, durante as últimas duas gerações, muitos dos mais antigos continuam a ser entoados, sendo valorizado o poder poético de suas imagens, e novamente apreciados, muito tempo depois que se deixou de compreendê-los literalmente.

As comunidades e congregações continuam a seguir suas diferentes tradições de culto, seja a tradição de uma liturgia solene acompanhada de belas palavras, de música, de um simbolismo impressionante de procissões, paramentos, sinos, incenso e ícones; seja a tradição de um culto bastante informal que se vale da linguagem, da música e do drama populares, e que talvez dê lugar às palmas e à dança pelos corredores; seja, finalmente, qualquer tradição que se ache entre estes dois extremos. Celebrações de cura, com a imposição de mãos, são agora mais comuns, dado que o aspecto psicossomático da doença e a rede psíquica interativa de que todos somos parte se tornaram teses mais amplamente aceitas. Em outras partes da Igreja, práticas tais como "falar em línguas", a "elevação das santas mãos", o ato de ser possuído ou "morto no Espírito" etc. continuam entre aqueles que as consideram de auxílio.

As relações com as outras religiões mundiais são, no momento, geralmente boas, baseando-se numa aceitação formal de sua validade autônoma, muito embora esta aceitação ainda esteja ameaçada por poderosos grupos fundamentalistas cristãos que buscam converter judeus, muçulmanos, budistas, hindus, siques e outros. O Conselho Mundial de Igrejas continua tentando incluir dentro de si os dois cristianismos, e portanto ainda é, oficialmente, incapaz de reconhecer que há salvação fora do cristianismo. A cooperação inter-religiosa é atualmente muito difundida no trabalho por justiça e pela ética sociais, e, em nível internacional, no trabalho pela paz mundial e pela proteção da mãe-terra.

A atividade missionária da Igreja não se dirige, agora, a pessoas de outras religiões, mas à maioria pós-cristã dos países nominalmente cristãos, o que implicou uma mudança de direção no trabalho de muitos dos teólogos mais construtivos dentre os teólogos sistemáticos cristãos. Numa era fortemente orientada para a ciência e marcada por uma atitude secularizada, em vez de preocupar-se com a elaboração e reinterpretação das doutrinas cristãs tradicionais – uma tarefa que continua mas já não configura uma preocupação central –, eles estão desenvolvendo diferentes abordagens da crença numa Realidade divina transcendente que ofereça uma estrutura de sentido para a vida humana. A razão disso é que intelectuais cristãos que privilegiam o trabalho construtivo gradualmente se deram conta de que fora das Igrejas grassam grande interesse e apetite religiosos que nunca mais poderão ser saciados pela antiga versão de cristianismo, entendido como uma fé encerrada em si mesma e que reivindica uma verdade exclusiva. De outra parte, parece que atualmente uma espiritualidade de maior abrangência, que adota tanto formas cristãs como não-cristãs, ressoam em muitas mentes abertas e penetrantes. Nesse contexto, enquanto as doutrinas cristãs tradicionais deixaram de atrair o interesse da maioria das pessoas, reina uma preocupação bem difundida sobre as questões básicas relativas à natureza do universo e nosso lugar nele; sobre o sentido da vida humana; sobre a natureza do bem e do mal; sobre nosso relacionamento com outras formas de vida; e sobre a questão da morte e de uma possível vida após a morte. Um cristianismo não-dogmático, centrado na pessoa e nos ensinamentos de Jesus, está de novo sendo ouvido, lado a lado com os do budismo, do hinduísmo, do Islã e de outras tradições.

Espiritualidade numa era pluralista

No momento em que passamos a ver as outras grandes tradições religiosas como respostas humanas diferentes, mas igualmente válidas, à Realidade Última, que é o fundamento e a fonte de tudo e a condição de nosso bem supremo, já não temos razão para nos limitar aos recursos espirituais de nossa própria tradição. Este é o nosso terreno, nosso quintal; mas assim como um cidadão dos Estados Unidos, França, Japão ou de qualquer outro país pode tornar-se um cidadão melhor informado e com a mente mais aberta ao viajar para o exterior, ao aprender outras línguas, ao ler outras literaturas e ao entrar em contato com outras culturas, também no reino do espírito ocorre algo semelhante. Podemos, como cristãos e cristãs, explorar com vantagens alguns dos métodos de meditação desenvolvidos nas tradições budista e hindu, nas quais a meditação é mais praticada e, com freqüência, com mais perícia que entre nós. E quando alimentamos nossas mentes e corações mediante a leitura das escrituras e dos escritos de grandes santos, não precisamos restringir-nos à Bíblia e aos escritores cristãos.

O único modo eficaz de deixar isto claro é dar alguns exemplos daquilo que podemos encontrar quando viajamos ao exterior no âmbito do espírito; logo, o que ofereço a seguir é uma breve antologia de uma variedade de escritos não-cristãos já acessíveis. As fontes das quais foram extraídos os textos estão indicadas em notas de rodapé, mas sugere-se que as passagens sejam lidas até o fim e apreciadas em si mesmas enquanto expressões de diferentes formas de consciência humana do Transcendente. Não citarei aqui as escrituras hebraicas por já nos serem familiares como nosso Antigo Testamento. Mas algo tirado da oração judaica e dos ditos dos rabinos no Talmude podem iniciar esta pequena coleção:

> No Dia do Juízo, cada um terá de prestar contas por toda coisa boa que deveria ter desfrutado mas não desfrutou.[201]

> Certo pagão veio ter com o [Rabino Hillel] e lhe disse:
> – Converte-me, contanto que me possas ensinar toda a Torá enquanto estou apoiado num só pé (...)
> Hillel (...) lhe disse:
> – O que te é odioso, não o faças ao teu próximo:
> Esta é toda a Torá;
> o resto é comentário;
> vai e pratica-a.[202]

> Ó servo, onde Me procuras?
> Olha! Estou a teu lado.
> Não estou nem no templo nem na mesquita:
> Não estou nem na Caaba nem em Kailash:
> Nem estou em ritos e cerimônias,
> nem no Ioga e na renúncia.
> Se és um autêntico buscador, logo Me verás:

---

201. Kiddushin de Jerusalém 66d, citado in: Arthur Hertzberg, *Judaism*, New York: Simon & Schuster 1991, p. 244.

202. Talmude da Babilônia, Shabbat 31a. Hillel, que morreu aproximadamente no ano 10 d. C., foi um grande mestre talmúdico.

tu Me encontrarás em algum momento do tempo.
Kabir diz: "Ó Sadhu! Deus é a respiração de toda respiração".
Dou gargalhadas ao ouvir que o peixe na água está com sede:
Não vês que o Real está em tua casa,
e, desatento, vagas de floresta em floresta!
Aqui está a verdade! Vai aonde quiseres, a Benares ou Mathura;
se não encontrares tua alma, o mundo te será irreal.[203]

Sou o sabor na água,
o brilho no sol e na lua,
A palavra fundamental e sagrada nas escrituras,
o som no mais alto elemento,
E, Arjuna, eu sou
O que faz, dos homens, homens.
Eu sou o perfume da promessa na Terra
e a força que queima no fogo,
A vida em todas as criaturas
e o fogo ascético nos homens santos.
Filho de Pṛthā, conhece-me como
a semente perene de tudo que vive.
Sou a compreensão daqueles que compreendem,
a majestade do majestático.
Eu sou a força dos fortes,
livre da luxúria e da paixão,
E eu sou, O Mais Forte dos Bharatas,
o desejo direito nos seres vivos.[204]

Há somente um Deus. Ele é tudo o que existe.
Ele é o Criador de todas as coisas e tudo perpassa.

---

203. *Songs of Kabir*, I e XLIII, trad. Rabindranath Tagore, New York: Weiser, 1977, p. 45 e 91. Kabir viveu na Índia no século XV e foi reverenciado tanto por hindus quanto por muçulmanos.

204. *Bhagavadgita*, cap. VII, 8-11, trad. Kees Bolle, Berkeley: University of California, 1979, p. 87. O *Gita* é provavelmente a escritura hindu mais lida e difundida.

Ele não tem medo, nem inimizade.
Ele é atemporal, não-nascido e existente por si mesmo.
Ele é o Iluminador
E d'Ele só se pode ter consciência mediante Sua graça.
Ele estava no início; Ele esteve em todas as eras.
O Uno Verdadeiro é e foi, ó Nanak, e para sempre será.[205]

O Deus Uno é o Pai de todos,
Nós somos todos seus filhos e filhas.
O Deus Uno é a causa de todas as causas,
Conhecimento, sabedoria, discernimento são Seus dons para nós;
Ele não está longe, Ele não está perto, Ele está com todos nós.
Saith Nanak: Louvai o Senhor com amor duradouro.[206]

Se alguém fala ou age com mente perversa,
segue-se o sofrimento assim como a roda
segue o casco do boi de tração.
Se alguém fala ou age com mente pura,
a felicidade o segue assim como sua sombra.

Ódios nunca cessam pelo ódio neste mundo;
somente pelo amor podem eles cessar.
Esta é uma lei eterna.

Todos tremem diante do açoite.
Todos temem a morte.
Comparando outros consigo mesmo,
ninguém deveria golpear nem dar motivo ao golpe.[207]

---

205. Do *Japji*, parte da oração da manhã, recitada pela primeira vez pelo Guru Nanak, fundador da tradição Sique no século XV; trad. Harbans Singh, *Guru Nanak*, Bombay, London, New York: Asia Publishing Co., 1969, p. 96-7.

206. Extraído do *Adi Granth*, the Sikh Bible, Nanak V, Sorath, p. 611, e Gaudi, p. 235, citado por: Trilochan Singh, Theological Concepts of Sikhism, in: Darshan Singh Maini (ed.), *Sikhism*, Patiala: Punjabi University Press, 1969, p. 44.

207. Extraído do *Dhammapada*, uma coleção de dizeres do Buddha bastante usada (trad. Narada Mahathera, Colombo: Vajirama, 1972, p. 1, 5, 8, 123).

Que todos possam ser felizes e estar a salvo!
Que todos os seres possam alcançar a alegria interior -
Todos os seres vivos, quaisquer que sejam (...)
Visíveis ou invisíveis.
Habitando longe ou perto,
Nascidos ou ainda por nascer -
Que todos os seres possam alcançar a alegria interior.
Que nenhum ser engane outro,
Que de nenhum modo zombe do outro,
Nem, na raiva ou rancor,
Deseje a tristeza do outro.
Assim como uma mãe cuida de seu filho,
Seu único filho, todos os seus dias,
Também diante de todas as coisas vivas
Deveria a mente de um homem ser a tudo acolhedora.
Amigável para com todo o mundo, e
Tudo acolhendo, ele deveria dirigir sua mente,
Acima, abaixo e para o lado oposto,
Sem pejos, livre de ódio e rancor.[208]

As pessoas vão aos seus templos
Para saudar-Me;
Quão simples e ignorantes são Minhas crianças
Que pensam que vivo no isolamento.
Por que não vêm e Me saúdam
Na procissão da vida, onde sempre vivo,
Nas fazendas, nas fábricas e no mercado
Onde encorajo aqueles
Que ganham seu pão com o suor de seu rosto?
Por que não vêm e Me saúdam
Nas cabanas dos pobres,

---

208. *Sutta Nipata*, 143ss. William de Bary (ed.), *The Buddhist Tradition*, New York: Vintage Books, 1972, p. 37-8. As *Suttas* do cânon [em língua] páli constituem as escrituras fundamentais do budismo.

Onde estou a abençoar os humildes e necessitados
E a secar as lágrimas das viúvas e órfãos?
Por que não vêm e Me saúdam
À beira da estrada
Onde estou a abençoar o mendigo que implora pelo pão?
Por que não vêm e Me saúdam
Entre aqueles que são pisoteados
Por gente orgulhosa de seu poder e riqueza,
E Me vêem a contemplar seu sofrimento e a verter compaixão?
E por que não se aproximam e Me saúdam
Entre as mulheres que afundaram no pecado e na vergonha
Onde Me sento para abençoá-las e enaltecê-las?
Tenho certeza de que
Jamais deixarão de encontrar-Me
Se Me buscarem
No suor e na luta da vida
E nas lágrimas e tragédias dos pobres.[209]

Há algo de inerente e natural
Que existia antes do céu e da terra.
Imóvel e insondável;
Acha-se só e nunca muda;
Permeia todos os lugares e nunca se exaure.
Pode ser tido como a Mãe do Universo.
Não sei seu nome.
Se for forçado a dar-lhe nome,
Chamo-o Tao, e o denomino supremo.[210]

Morri como mineral e tornei-me uma planta,
Morri como planta e ressurgi como animal,

209. Kushdeva Singh, *In Dedication*, Patiala: Guru Nanak Mission, 1974, p. 31-32. Kushdeva Singh, que morreu em 1985, era um místico e ativista sique que criou uma série de instituições de assistência na cidade de Patiala, no Punjab, Índia.

210. *Tao Te Ching*, cap. 25, trad. Ch'u Ta-Kao, London: Mandala Books, 1982, p. 44.

Morri como animal e fui Homem.
Por que deveria eu temer? Quando fui menos por morrer?
E contudo, mais uma vez deverei morrer como Homem, para voar
Com os anjos abençoados; mas devo ir adiante,
Até mesmo do estado angelical: tudo, exceto Deus, perece.[211]

Deus é a Luz dos céus e da terra;
a semelhança de Sua Luz é como um nicho
onde jaz uma lâmpada -
a lâmpada é um vidro,
o vidro é como uma estrela resplandecente -
acesa por uma Árvore Abençoada,
uma oliva que não é nem do Oriente, nem do Ocidente,
cujo óleo brilharia, ainda que nenhum fogo o tocasse.
Luz após Luz,
Deus guia quem quiser à Sua Luz.[212]

Deus repreendeu Moisés, dizendo:
"Ó tu que viste o surgir da lua desde teu seio,
Tu, a quem iluminei com Minha Luz! Eu sou Deus,
Fiquei enfermo, tu não vieste".
Moisés disse: "Ó Transcendente, Tu estás livre de defeito,
Que mistério é este? Explica, ó Senhor!"
Deus de novo lhe disse: "Por que motivo não perguntaste
gentilmente por Mim quando estive enfermo?'
Ele respondeu: "Ó Senhor, Tu nunca ficas enfermo.
Minha compreensão se perdeu:
expõe o significado destas palavras".
Deus disse: "Sim; um de Meus servos favoritos adoeceu.
Eu sou ele. Reflete bem:

---

211. *Rumi: Poet and Mystic*, LXI, trad. R. A. Nicholson, London: Mandala Books 1978, p. 103. Jalaludin Rumi, que morreu em 1273 d.C., foi um dos grandes poetas sufis do Islã.

212. *Qur'an*, extraído da sura 24, trad. Arthur J. Arberry, *The Koran Interpreted*, London, New York: Oxford University Press, 1964, p. 354-5.

Sua enfermidade é Minha enfermidade,
sua doença é Minha doença".[213]

Uma doença não é curada ao se dizer a palavra "remédio".
É preciso que tomes o remédio. A libertação não vem
simplesmente ao se dizer a palavra "Brahman".
Brahman deve ser realmente experienciado.[214]

Responde a um grande ódio com amor.
Do contrário, quando um grande ódio for reconciliado,
um pouco dele certamente permanecerá.
Mas como isso pode acabar em bondade?
O sábio não se apega, portanto, à metade descumprida de um
acordo, e não exige do outro o que este deveria fazer.
Os virtuosos recorrem a acordos;
A pessoa sem virtude, à cobrança.
O Tao do céu não mostra nenhuma parcialidade;
Ele permanece com os homens bons. [215]

Aqueles que amam e crêem em Deus sem conhecê-Lo
são os que melhor conhecem a Deus.[216]

Grande Espírito Avô,
Em todo o mundo as faces dos vivos são semelhantes.
Com ternura emergiram do solo. (...)
Dá-nos a força para entender e os olhos para ver.
Ensina-nos a caminhar na terra macia
como parentes de tudo o que vive.[217]

---

213. *Rumi*: *Poet and Mystic*, op. cit., XXIX, p. 65.

214. Shankara, *Crest-Jewel of Discrimination*, trad. Swami Prabhavananda, Cristopher Isherwood, Los Angeles: Vedanta Press, 1978, p. 41. Shankara (século VIII d. C.) foi um dos maiores e influentes pensadores hindus.

215. *Tao Te Ching*, op. cit., cap. 79.

216. Kitaro Nishida, *An Inquiry into the Good*, trad. Masao Abe, Christopher Ives, New Haven, London: Yale University Press, 1990, p. 176. Nishida, falecido em 1945, foi fundador da escola de filosofia zen-budista de Kyoto.

217. Extraído de registros da tribo dos Sioux, da América do Norte. Elizabeth Roberts, Elias

Aquele que aceita alegremente os sofrimentos deste mundo
traz ao mundo salvação.[218]

"Nossos sábios dizem que os homens deveriam louvar e
agradecer a Deus pelo sofrimento não menos que
pelo bem-estar, e recebê-lo com a mesma alegria.
Poderia dizer-nos como devemos compreender isso, Rabino?"
O Rabino retrucou: "Ide à Casa de Estudos. Lá ireis encontrar
Zusya fumando seu cachimbo. Ele vos dará a explicação".
Eles foram e fizeram sua pergunta ao Rabino Zusya. Ele riu.
"Certamente não viestes ao homem mais indicado!
É melhor ir ter com outro, e não comigo, pois jamais
experimentei sofrimento algum." Mas eles sabiam que desde o
dia em que nasceu até aquele dia, a vida do Rabino Zusya fora
uma verdadeira teia de privações e angústias. Foi então que
aprenderam o significado de aceitar o sofrimento com amor.[219]

Nada, exceto Sua extrema proximidade de ti,
é o que oculta Deus de ti.
Ele fez do Além uma habitação
para recompensar Seus servos crentes
somente porque este mundo não pode conter
o que Ele lhes deseja conceder,
e porque Ele considerou sua dignidade grande demais
para recompensá-los num mundo sem permanência.[220]

A morte não é a extinção da luz, e sim o apagar das luzes
por ter chegado a manhã.[221]

Amidon, (eds.), *Earth Prayers*, San Francisco: Harper, 1991, p. 184.

218. Talmude, *Ta'an*, 8a.

219. Martin Buber, *Tales of the Hasidim*, v. 1, New York: Pantheon, 1947, p. 217-8.

220. Kwaja Abdullah Ansari, *The Book of Wisdom*, trad. Wheeler Thackston, New York: Paulist Press, 1978, p. 65; London: SPCK, 1979, p. 88. Trata-se de um muçulmano *sufi*.

221. Extraído de Rabindranath Tagore, falecido em 1941. Tagore foi um poeta e pensador bengalês que se esforçou muito para apresentar o pensamento hindu ao Ocidente.

Estas amostras são um lembrete da enorme riqueza de diversos tesouros que nos aguardam nos escritos espirituais da humanidade ao redor do mundo e ao longo dos séculos. A perspectiva pluralista incita-nos a aproveitar estes tesouros, e acredito que todo aquele que o fizer descobrirá que não há nada a temer, pelo contrário, há grandes benefícios a serem obtidos a partir desta visão mais ampla. Existem inúmeras antologias excelentes que tornam todo esse material prontamente disponível.[222]

222. Talvez, no momento, a melhor antologia seja a de Philip Novak, (ed.), *The World's Wisdom*: Sacred Texts of the World's Religions, San Francisco: Harper, 1994. Outras antologias de ótima qualidade são Bede Griffiths, (ed.), *Universal Wisdom*: A Journey Through the Sacred Scriptures of the World, London: HarperCollins, San Francisco: HarperSanFrancisco, 1994; e Ninian Smart, Richard Hecht, (eds.), *Sacred Texts of the World*: A Universal Anthology, London: Macmillan, 1992. Um volume algo maior é o de Andrew Wilson, (ed.), *World Scripture*: A Comparative Anthology of Sacred Texts, New York: Paragon House, 1991. Uma publicação mais antiga é a de Robert Ballou, (ed.), *The Pocket World Bible*, London: Routledge & Kegan Paul, 1948, editado nos Estados Unidos como *Living Bible*, New York: Viking Press, 1952.

APÊNDICE I

Agradecimentos e explicações

Este livro é uma versão ampliada das *Auburn Lectures* proferidas em abril de 1994, no *Union Theological Seminary*, Nova York, como primeira de uma nova série instituída para celebrar o 175° aniversário da fundação do *Auburn Seminary*. Sou grato pela honra deste convite, e também à presidente Barbara G. Wheeler, ao decano de *Auburn*, Robert E. Reber, ao Presidente do *Union*, Holland Lee Hendrix, ao professor Vincent L. Wimbush e à professora Linda Perkins por sua esplêndida hospitalidade dirigida à minha esposa e a mim durante nossa agradável estadia no *Union*. Cada uma das conferências foi seguida de respostas de teólogos eminentes – Kwok Pui-Lan da Escola Episcopal de Teologia, Cambridge, Massachusetts; Eugene B. Borowitz, do *Hebrew Union College*, New York; Walter Philip Wink, do *Auburn Seminary*; e Ivone Gebara, do *Auburn Seminary*. A todos sou grato por suas contribuições.

Foi-me solicitado responder, durante estas conferências, às críticas dirigidas ao pluralismo religioso. A solicitação pressupõe uma distinção entre pluralidade religiosa, entendida como o fato da existência de várias religiões, e o pluralismo religioso como uma família de teorias sobre o relacionamento entre as religiões. As teorias pluralistas contrastam com as teorias exclusivistas, segundo as quais a própria religião é, de forma exclusiva, a depositária da salvação/libertação/iluminação; e com as teorias inclusivistas, segundo as quais sua própria religião abrange pessoas de outras religiões em sua salvação, libertação ou iluminação exclusivamente autêntica. Distintamente destas, as teorias pluralistas reconhecem as outras grandes religiões mundiais como esferas independentemente autênticas de salvação/libertação/iluminação. Todo um leque de pontos de vista pluralistas tem sido oferecido por autores contemporâneos recentes; de modo algum, estão todos de acordo entre si, seja a respeito do modo de pensar as conseqüências de uma perspectiva pluralista, seja a respeito da questão se é em geral apropriado tentar desenvolver uma teoria abrangente nesta linha. Deste modo, têm havido e continuarão a haver debates intensos entre aqueles que defendem, em termos amplos, uma visão pluralista – e alguns destes debates emergem neste livro.

Minha própria versão específica do pluralismo religioso defende a tese de que as grandes religiões mundiais constituem formas diferentes, mas, até onde podemos dizer, igualmente válidas de conceber, experimentar e responder, na vida real, à Realidade Última com a qual a religião se preocupa; e foi às críticas dirigidas a esta versão específica que me foi pedido responder. Minha resposta a essas críticas, contudo, não é sempre uma tentativa de refutação. Durante todos estes anos, aprendi muito de críticas cuidadosas; de fato, sou grato por elas, e em vários pontos desenvolvi mais a minha compreensão à luz das mesmas. Poderia acrescentar que vários dos principais críticos são meus amigos pessoais, alguns dos quais também são ex-estudantes ou colegas. Apesar disso, a amizade não nos impede de discordar profundamente.

Não transformei o projeto original num outro diferente e maior, que incluísse o exame de outras formas de pluralismo religioso. Tampouco transformei-o num ainda maior, que discutisse as respostas alternativas à diversidade religiosa, tal como são apresentadas nas teologias da religião de tipo exclusivista e inclusivista.

Entretanto, até mesmo esta tarefa limitada é complicada pela incrível quantidade de literatura já acumulada em torno destes tópicos. Sou apenas um dos vários teólogos e filósofos a ter desenvolvido, independentemente, um ponto de vista no geral bastante pluralista. Todavia, um rápido exame do Apêndice III irá mostrar a magnitude das discussões críticas sobre minha formulação do pluralismo – e a lista não inclui uma quantidade igualmente grande de discussões em livros, contidas em uma ou duas páginas ou num capítulo inteiro. Sou provavelmente a única pessoa que teve a oportunidade de ler todo este material; e é bem possível que ainda haja outros títulos dos quais não estou ciente no momento, de sorte que é muito provável que ninguém tenha realmente lido tudo! E quando adicionamos as críticas igualmente numerosas dirigidas a outros pluralistas religiosos, penso que se pode dizer, confiantemente, que ninguém chegou a ler o conjunto completo de escritos. Poderia acrescentar que uma bibliografia completa de todo o assunto, comparável em extensão à recente e excelente bibliografia de Barry Whitney sobre a Teodicéia,[223] seria, embora uma grande tarefa, um valioso recurso do qual dispor.

Como proceder ao responder aos críticos? Já ofereci respostas (ver Apêndice III) publicadas a alguns dos artigos críticos, quer no mesmo número, quer no número subseqüente da revista na qual apareceram.[224] Mas não teria sido nem útil nem interessante responder um por um a todos eles agora. Isso porque freqüentemente os mesmos questionamentos voltam à baila, e parece muito mais sensato dirigir-me às críticas principais tomadas em si mesmas ao invés de responder a cada uma de suas diferentes formulações. Ademais, uma objeção detalhada a um artigo ou capítulo somente faz sentido quando o leitor ou a audiência leu recentemente o texto que está em discussão. Dessa maneira, respondi a questões e não a autores, embora fazendo citações breves para amarrar a discussão na literatura existente. Como é natural, este procedimento apresenta a desvanta-

---

223. Barry L. Whitney, *Theodicy*: An Annotated Bibliography on the Problem of Evil, 1960-1990, New York, London: Garland Publishing, 1993.

224. Além das respostas listadas no Apêndice, que oferecem réplicas a artigos específicos, há a seguinte: Straightening the Record: Some Responses to Critics, *Modern Theology*, v. 6, n. 2, jan. 1990.

gem de que, ao ler este livro, os críticos não encontrarão, aqui, uma resposta direta ao seu próprio artigo ou capítulo enquanto tal, ainda que, como espero, venham, em algum momento, encontrar uma discussão referente a cada uma de suas principais preocupações.

A forma do diálogo parece particularmente adequada para tal exercício; sendo assim, depois da conferência inicial (transformada, neste livro, no Capítulo I), na qual se apresenta minha própria versão do pluralismo religioso, a discussão procede através do diálogo. Aqui, converso com Fil e Graça, lidando respectivamente com questões filosóficas e teológicas – embora, como é óbvio, estes não possam ser claramente separados. No decorrer das conferências em *Auburn*, os papéis de Fil e Graça foram assumidos por Jace Garrett Weaver e Annie Ruth Powell, na época candidatos ao doutorado no *Union Seminary*, a quem presto novamente meus agradecimentos. Tratei de preservar a linguagem relativamente informal que pareceu apropriada ante uma audiência ao vivo, e que, segundo espero, talvez faça que agora o material proporcione uma leitura mais fluente e tranqüila.

Sou grato a Mark Heim, Werner Ustorf e Franklin J. Woo por suas sugestões de especialistas.

APÊNDICE II

Das controvérsias e circunstâncias acadêmicas

O objetivo do diálogo teológico e filosófico não é, necessariamente, chegar a um acordo – apesar disso ser muito desejado e de algumas vezes acontecer –, mas identificar as diferenças de um modo mais preciso e discernir quais sejam os prós e contras de uma dada questão. Contudo, minha impressão – como pensador por vários anos envolvido nesses diferentes tipos de debate e argumentos – é que nós, da comunidade acadêmica, geralmente não sabemos conduzir bem as nossas controvérsias.

A principal razão disso se deve, penso eu, às absolutas dificuldades práticas que impedem uma comunicação efetiva em um conjunto tão grande e difuso de indivíduos. Se dois filósofos ou teólogos, que são pessoas razoáveis e civilizadas, se reúnem por um período suficientemente longo a fim de debater sobre uma questão específica, podem chegar ao ponto em que cada um veja claramente a posição do outro e os argumentos em seu favor (de modo a tornar possível o relato desses argumentos a uma terceira pessoa), ponto no qual, ademais, cada um identifica seus próprios pressupostos e os do outro. Neste ponto do debate, ou um dos dois foi já convencido pela visão do outro, ou ambos constroem, em conjunto, algo de novo que será diferente da posição inicial de cada um deles; ou, ainda, acabam concordando em divergir, sabendo claramente qual o ponto da divergência.

Isso, porém, não acontece com grande freqüência. A vida nas universidades e faculdades de hoje é por demais ocupada para propiciar, com qualquer facilidade, discussões longas e conduzidas sem pressa. Particularmente nos EUA, há casos de pessoas que trabalham em diferentes universidades e vivem a distâncias enormes umas das outras, cujo contato pessoal tende a ocorrer principalmente em congressos e convenções. Um novo fator potencialmente importante é o desenvolvimento do "correio eletrônico", que favorece a criação de redes de professores e pesquisadores interessados em tópicos específicos. Contudo, o diálogo via internet, na verdade, demanda mais tempo que a discussão face-a-face, ainda não deixando claro até que ponto essas redes de pesquisa serão capazes de transformar a situação. Elas certamente serão de ajuda para certos grupos restritos, mas não resolverão o problema em grande escala.

Correio eletrônico à parte, o que geralmente acontece é o seguinte: alguém lê um trabalho num seminário e colegas de área na audiência levantam questões ou fazem intervenções críticas. Algumas vezes, uma pergunta ou uma observação clara pode receber uma resposta também clara. Outras vezes, a pergunta é mais um míssil verbal do que uma consideração séria, e a pessoa em questão precisa tentar esquivar-se ou detoná-la ou ainda lançá-la de volta da melhor maneira possível. Por vezes, a questão é, na realidade, uma saraivada complexa de perguntas e comentários agrupados sem uma lógica clara, sendo impossível ter tempo para responder apropriadamente a tudo pelo fato de outras pessoas também quererem fazer perguntas – e muitas vezes é na última meia hora, ou menos do que isso, que há tempo disponível para as discussões, de forma que se tem de escolher, em meio à torrente de perguntas e comentários, algo que se possa responder rapidamente. Todavia, às vezes, surge uma observação crítica realmente bem feita, que leva a uma discussão realmente produtiva. Em geral, contudo, este formato tão familiar, embora provavelmente seja o melhor para a apresentação de conferências, oferece à pessoa que lê um trabalho a oportunidade de expressar suas idéias, e a umas poucas e esparsas réplicas críticas a oportunidade de se fazer ouvir; porém, não será esta a ocasião para uma discussão prolongada e centrada no tema. Pode-se chegar mais perto disso quando as reações ao trabalho são previamente preparadas por uma ou duas pessoas que receberam o trabalho bem antes do evento. Não obstante, pode ser necessário que, depois da conferência, todos tenham de sair juntos para fazer uma refeição ou tomar uma bebida para que possam continuar a debater até o ponto de aclarar plenamente as pendências - algo que, muitas vezes, não é fácil durante um dia agitado de seminário ou congresso.

Temos ainda outro exemplo, quando se publica um artigo ou um livro. E, se ele for suficientemente interessante, um ou outro estudioso escreverá artigos reagindo ao mesmo. Artigos críticos deste tipo podem motivar o autor a responder. Às vezes, faz-se isso não porque a reação expressa no artigo seja significante, mas porque se considera que a própria perspectiva foi muito mal interpretada, fazendo-se necessário um acerto de contas. Na maioria das vezes, porém, o crítico tem questões legítimas, as quais o autor responde, e isso pode gerar algumas discussões úteis a longa distância - embora estas não sejam tão produtivas como seriam se conduzidas pessoalmente. E se, por algum acaso, houver um maior número de artigos, talvez o autor não queira perder tempo para responder a todos. Tivesse eu respondido a cada artigo crítico publicado sobre meu trabalho nas áreas de epistemologia da religião, teodicéia, escatologia, cristologia e pluralismo religioso, teria escrito mais ou menos uns cento e trinta artigos, talvez o equivalente a uns doze livros - apesar desse cálculo ser desprovido de significado, uma vez que esses doze livros substituiriam aqueles que já escrevi e que foram a causa do aparecimento dos artigos contendo aquelas críticas!

Por outro lado, as discussões travadas entre livros - quando alguém critica as idéias de outrem num livro, e vice-versa - geralmente trazem ainda menos satisfação do que discussões por meio de artigos. Pois, quando alguém se refere a um outro autor ou autora, o que faz, no mais das vezes, é apenas citar uma observação ou argumento particular, às vezes apenas uma única frase; e, com grande probabilidade, o autor citado irá sentir que seu interlocutor não foi justo com seu pensamento como um todo – e provavelmente este sentimento será justificado. As referências que fazemos aos outros, ou as que outros fazem a nós, naturalmente têm sua razão de ser; mas nem sempre, e nem mesmo normalmente, resultam num diálogo produtivo.

O resultado de tudo isso é que a discussão profissional de temas sob disputa nem sempre tem a qualidade que gostaríamos. Ela assemelha-se um pouco à miscelânea confusa de conversas que ocorrem em lugares cheios de gente, nas quais todos falam ao mesmo tempo mas ninguém escuta de modo distinto o que os outros dizem, e nas quais nenhum tópico é discutido de forma cabal e apropriada. No geral, a situação é melhor entre os filósofos do que entre os teólogos, visto que as questões filosóficas podem, na maioria das vezes, ser definidas com maior precisão; mas mesmo no meio filosófico ela ainda se acha longe do ideal.

Na prática de resenhar livros tem-se mais um fórum em que se apresentam as reações críticas. Uma boa recensão informa ao leitor para qual público o livro foi escrito, faz um resumo preciso do que diz o autor e depois oferece os comentários críticos do recenseador, bem como uma apreciação equilibrada do interesse e do valor da obra. Uma recensão deste tipo pode prestar um auxílio enorme a leitores que têm de decidir o que ler em meio à profusão de novos títulos publicados a cada ano no seu campo de estudos. Pode também servir de ajuda ao autor, pois sabe que o recenseador estudou seu livro com muito cuidado. A verdade, porém, é que geralmente as recensões não têm estas características; com demasiada freqüência, deixam de apresentar um relato preciso do teor do livro, para meramente ventilar as opiniões do recenseador sobre o tema em geral. Não compreendem, estes autores de resenha, que quando se recebe um livro para recensear, o objetivo da tarefa não é, em primeiro lugar, o de julgar, mas acima de tudo o de escrever, para os leitores do periódico em questão, uma introdução crítica – instruída e refletida – sobre a obra, e, vez ou outra, o de dar início a um debate. E contudo, seria possível desencorajar más recensões, e até mesmo em grande parte eliminá-las, se os editores insistissem num código de conduta para seu corpo de recenseadores.

Não obstante, estas são as formas de comunicação que nós temos – à parte aquelas discussões por vezes bastante produtivas e que trazem mais satisfação, tais como as discussões em pequenos grupos, que, porém, parecem cada vez mais difíceis de organizar por causa do aumento na sobrecarga administrativa da vida acadêmica. Assim, a questão prática é se podemos fazer alguma coisa para melhorar nossos procedimentos de comunicação nos periódicos e nos livros. Quanto a este ponto, sugiro uma ou outra observação bastante óbvia que fazem parte da etiqueta e da ética da controvérsia – observações estas endereçadas tanto a mim como a qualquer outra pessoa.

Primeiro: quando se critica as idéias de alguém, por hipótese, as de Mary Smith, seria preciso estabelecer o direito de fazê-lo com base num resumo acurado da posição da autora, mesmo que as limitações de espaço obriguem o crítico a fazê-lo de forma muito breve. Do ponto de vista de Mary, causa-lhe grande satisfação saber que um colega do meio acadêmico teve o cuidado de ler atentamente o que ela escreveu. E do ponto de vista dos leitores do periódico, o resumo atento mostra que o crítico não está expressando uma mera reação reflexa e automática depois de dar uma olhada no livro, mas que assimilou o seu conteúdo e se encontra na posição de fazer críticas sérias e ponderadas. Por outro lado, é irritante para o autor de um livro ver seu ponto de vista sendo deturpado num texto impresso, uma vez que ele sabe que infelizmente haverá leitores que irão ler a crítica sem se importar em ler o que ele escreveu.

Segundo, de nada serve ao crítico ser mal-educado, ainda que isso lhe possa trazer um benefício terapêutico. Logo, que ele seja venenoso o quanto quiser no seu primeiro rascunho; lembre-se, porém, de eliminar o sarcasmo incisivo, de apagar a expressão depreciadora, de cortar o comentário pejorativo e de cancelar a réplica amarga antes da publicação. Pode ser que este seja um sacrifício doloroso; mas quererá o autor realmente obstruir os preciosos canais da comunicação? É improvável que um debate face-a-face, ou uma controvérsia num periódico acadêmico (ou mesmo popular), venha a ser produtivo a partir do ponto em que os participantes começaram a abusar um do outro.

Terceiro, não é justo selecionar um dos muitos parágrafos de Mary Smith e reclamar que neste parágrafo ela não disse algo que teria sido irrelevante para aquele tópico específico; e seria duplamente injusto se ela o tivesse dito num outro lugar, onde fosse de fato relevante.[225]

Quarto, ao entrarmos em polêmicas deveríamos sempre lembrar que há uma probabilidade de haver alguma verdade mesmo numa posição que rejeitamos. É improvável que um pensador sério e competente esteja completamente errado. Ele provavelmente está observando os mesmos dados, mesmo que a partir de um ângulo significativamente diferente, ou está selecionando um conjunto de dados parcialmente diferentes devido a pressuposições diferentes das de outrem. Mas ainda que este seja o caso, ainda existe a possibilidade de haver um certo número de assuntos relevantes sobre os quais vocês pensam de modo parecido. Posições contrárias não são sempre tão contrárias como pensam seus protagonistas, e pode ser útil destacar bem as diferenças depois que forem listados os pontos em que há concordância.

Até agora falei principalmente dos debates no contexto do mundo acadêmico. Contudo, é óbvio que os mesmos princípios se aplicam a todas as discussões inteligentes onde quer que aconteçam. Isso inclui grupos nas igrejas, cursos de educação de adultos, seminários de leigos, conversas de botequim ou em clubes, em jantares ou qualquer outro foro.

225. Outra coisa que temos de evitar felizmente só acontece raras vezes, e é por isso que merece ser incluída apenas uma nota de rodapé. Se já faz vários anos que Mary Smith escreve, anos durante os quais ela desenvolveu seus pontos de vista, e ela passa agora a dizer algumas coisas que são inconsistentes com o que disse há mais ou menos uma década, seria flagrantemente injusto juntar, numa mesma discussão, uma afirmação antiga e outra mais recente com o intuito de apresentá-las como uma única posição em si contraditória. Menciono este exemplo de má conduta porque eu mesmo fui vítima dele.

Bibliografia

Obras de John Hick sobre sua hipótese pluralista:

An Interpretation of Religion. London: Macmillan; New Haven: Yale University Press, 1989.

Problems of Religious Pluralism. London: Macmillan; New York: St Martin's Press, 1985.

God and the Universe of Faith. London: Macmillan; New York: St Martin's Press, 1973; Oxford: One World Publications, 1993);

God Has Many Names. London: Macmillan, 1980; Louisville: Westminster/John Knox, 1982);

The Metaphor of God Incarnate. London: SCM Press, 1993; Louisviile: Westminster/John Knox, 1994);

The Myth of God Incarnate. London: SCM Press; Louisville: Westminster/John Knox, 1977);

com Hasan Askari: *The Experience of Religious Diversity*. Aldershot, Inglaterra, Brookfield, Vermont: Gower Publishing Company, 1985.

com Paul Knitter: *The Myth of Christian Uniqueness*. Maryknoll, N. Y.: Orbis, London: SCM Press, 1987).

Exames críticos das obras de John Hick

Livros

D'COSTA, Gavin. *John Hick's Theology of Religions:* A Critical Examination, New York, London: University Press of America, 1997.

GILLIS, Chester. A *Question of Final Belief:*]ohn Hick's Pluralistic Theory of Salvation, London: Macmillan, New York: St. Martin's Press, 1989.

CARRUTHERS, Gregory H. *The Uniqueness of Jesus Christ in the Theocentric Model of the Christian Theology of World Religions:* An Elaboration and Evaluation of the Position of John Hick, New York, London: University Press of America, 1990.

D'COSTA, Gavin (ed.). *Christian Uniqueness Reconsidered,* Maryknoll, N. Y.: Orbis, 1990.

HEWITT, Harold (ed.). *Problems in the Philosophy of Religion:* Critical Studies of the Work of John Hick, London: Macmillan, New York: St. Martin's Press, 1991.

SHARMA, Arvind (ed.). *God, Truth and Reality:* Essays in Honour of John Hick, London: Macmillan, New York: St Martin's Press, 1993.

SINKINSON, Chris. *John Hick:* Introduction and Assessment, Leicester: UCCF/RTSF, 1995.

MASE, Hiromasa & INAGAKI, Hisakazu (eds.). *Explorations in Religious Pluralism:* John Hick Studies, Tokyo: Teimeido, 1995.

Artigos em Periódicos Especializados

ALMOND, Philip. John Hick's Copernican Theology, *Theology,* v. 86, n. 709, jan. 1983. [Réplica: The Theology of Pluralism, v. 86, n. 713, set. 1983.

APCZYNSKI, John v. John Hick's Theocentrism: Revolutionary or Implicitly Exclusivist?, *Modern Theology,* v. 8, n. 1, jan. 1992.

BADHAM, Paul. John Hick and the Human Response to Transcendent Reality, *Dialogue and Alliance,* v. 5, n. 2, jul.-set. 1991.

BADHAM, Paul. John Hick's Global Understanding of Religion, Tokyo Honganji, Lecture Series II-4, 1992.

BARNES, L. Philip. Relativism, Ineffability, and the Appeal to Experience: a Reply to the Myth Makers, *Modern Theology,* v. 7, n. 1, out. 1990.

BARNES, L. Philip. Towards a Theology of World Religions, *Churchman,* v. 97, 1983.

BARNES, Philip. Continuing Development in John Hick's Theology, *Studies in Religion,* v. 24, n. 4, 1992.

BASINGER, David. Hick's Religious Piuralism and "Reformed Epistemology": A Middle Ground, *Faith and Philosophy,* v. 5, n. 4, out. 1988.

BERNER, Ulrich. Das Christusverständnis als Gegenstand universalgeschichtlicher Betrachtungen, *Saeculum:Jahrbuch für Universalgeschichte, 1983.*

BYRNE, Peter. A Religious Theory of Religion, *Religious Studies,* v. 27, n. 1, mar. 1991.

BYRNE, Peter. John Hick's Philosophy of World Religions, *Scottish Journal of Theology,* v. 35, n. 4, ago. 1982. [Réplica: The Philosophy of World Religions, v. 37, n. 2, jun. 1984.

COOK, Robert. Postmodernism, Pluralism and John Hick, *Themelios,* v. 19, n. 1, out. 1993. [Réplica: Response to Robert Cook, v. 19, n. 3, mai. 1994.]

CORLISS, Roger. Redemption and the Divine Realities: A Study of Hick and an Alternative, *Religious Studies,* v. 22., n. 2, jun. 1986.

D'COSTA, Gavin. "Extra ecclesiam nulla salus" Revisited, in: Ian Hamnett (ed.), *Religious Pluralism and Unbelief,* London, New York: Routledge, 1990.

D'COSTA, Gavin. An Examination of John Hick and Paul Knitter's Theology of Religions, *Studia Missionalia,* v. 42, 1993.

D'COSTA, Gavin. Elephants, Ropes and a Christian Theology of Religions, *Theology,* v. 88, n. 724, jul. 1985.

D'COSTA, Gavin. John Hick's Copernican Revolution: Ten Years After, *New Blackfriars,* v. 65, nn. 769/770, jul.-ago. 1984.

D'COSTA, Gavin. Taking Other Religions Seriously: Some Ironies in the Current Debate on a Christian Theology of Religions, *The Thomist,* v. 54, n. 3, jul. 1990.

EDDY, Paul R. John Hick's Theological Pilgrimage, *Proceedings of Wheaton Theology Conference,* abr.-jun. 1992.

EDDY, Paul R. Religious Pluralism and the Divine: Another Look at John Hick's Neo-Kantian Proposal, *Religious Studies,* v. 30, n. 4, dez. 1994. [Réplica: Religious Pluralism and the Divine: a Response to Paul Eddy, dez. 1995.]

FENNER, Peter. Religions in the Balance, *Sophia,* v. 30, n. 1, jul. 1991.

FORGIE, William. Hyper-Kantianism in Recent Discussions of Mystical Experience, *Religious Studies,* v. 21, n. 2, jun. 1985.

FORRESTER, Duncan. 'Professor Hick and the Universe of Faiths', *Scottish Journal of Theology,* v. 29, n. 1, fev. 1976.

GEIVETT, R. Douglas. John Hick's Approach to Religious Pluralism, *Proceedings of Wheaton Theology Conference,* abr.-jun. 1992.

GILLIS, Chester. John Hick's Christology, *Bijdragen, tijdschrift voor filosofie en theologie,* v. 49, 1988.

GRIFFITHS, Paul & Lewis, Delmas. On Grading Religions, Seeking Truth, and Being Nice to People – a Réplica to Professor Hick, *Religious Studies,* v. 19, n. 1, mar. 1983. [Réplica: On Conflicting Religious Truth-Claims, v. 19, n. 4, dez. 1983.

GRIFFITHS, Paul J. An Apology for Apologetics, *Faith and Philosophy,* v. 5, n. 4, out. 1988.

HEIM, S. Mark Salvations, *Modern Theology,* v. 10, n. 4, out. 1994.

HEIM, S. Mark The Pluralistic Hypothesis, Realism, and Post-Eschatology, *Religious Studies,* v. 28, n. 2, jun. 1992.

HUGHES, Dewi Arwel. Christianity and Other Religions: Review of Some Recent Discussions, *Themelios,* v. 9, n. 2, jan. 1984.

KUBIAS, Craig. John Hick's Epistemology: A Viable Basis for World Theology?, *Church Divinity,* 1983.

LIPNER, Julius. Does Copernicus Help?, *Religious Studies,* v. 13, n. 2, jun. 1977.

LIPNER, Julius. Truth-claims and Inter-religious Dialogue, *Religious Studies,* v. 12, n. 2, jun. 1976.

LOUGHLIN, Gerard. Noumenon and Phenomena, *Religious Studies,* v. 23, n. 4, dez. 1987.

LOUGHLIN, Gerard. Prefacing Pluralism: John Hick and the Mastery of Religion, *Modern Theology,* v. 7, n. 1, out. 1990. [Réplica: Response to Gerard Loughlin, v. 7, n. 1, out. 1990.]

LOUW, D. J. The Soteriocentrism of John Hick, *South African Journal of Philosophy,* v. 14, n. 1, fev. 1995.

LOUW, Dirk J. Theocentism and Reality-centism: a Critique of John Hick and Wilfred Cantwell Smith's Philosophy of Religious Pluralism, *South African Journal of Philosophy,* v. 13, n. 1, fev. 1994.

MARKHAM, Ian. Creating Options: Shattering the "Exclusivist, Inclusivist, and Pluralist" Paradigm, *New Blackfriars,* v. 74, n. 867, jan. 1993.

MASE, Hiromasa. John Hick's Religious Pluralism, *Philosophy* [Keio University], n. 88, jun. 1989.

McKIM, Robert. Could God Have More than One Nature?, *Faith and Philosophy,* v. 5, n. 4, out. 1988.

MIN, Anselm. Christology and the Theology of Religions: John Hick and Karl Rahner, *Louvain Studies,* v. 11, n. 1, abr.-jun. 1986.

NETLAND, Harold. Professor Hick and Religious Pluralism, *Religious Studies,* v. 22, n. 2, jun. 1986.

OGDEN, Schubert. Problems in the Case for a Pluralistic Theology of Religions, *The Journal of Religion,* v. 68, out. 1988).

PENTZ, Rebecca. Hick and Saints: Is Saint-Production a Valid Test?, *Faith and Philosophy,* v. 8, n. 1, jan. 1991.

QUINN, Philip L. Religious Pluralism and Religious Relativism, *Scottish Journal of Religious Studies,* v. 15, n. 2, out.-dez. 1994.

RUSSELL, Stanley. The Finality of Christ and Other Religions, *Epworth Review,* v. 4, n. 1, fev. 1977.

SHAW, Patrick. On Worshipping the Same God, *Religious Studies,* v. 28, n. 4, dez. 1992.

SPRINGSTED, Eric O. abr.-jun.sted, Conditions of Dialogue: John Hick and Simone Weil, *The Journal of Religion,* v. 72, n. 1, jan. 1992.

STENGER, Mary Ann. The Problem of Cross-cultural Criteria of Religious Truth, *Modern Theology,* v. 3, n. 4, jul. 1987.

STINNETT, Timothy R. John Hick's Pluralistic Theory of Reigion, *The Journal of Religion,* v. 70, n. 4, out. 1990.

SURIN, Kenneth. A Certain "Politics of Speech": "Religious Pluralism" in the Age of McDonald's Hamburger, *Modern Theology,* v. 7, n. 1, out. 1990.

SURIN, Kenneth. Revelation, Salvation, the Uniqueness of Christ and Other Religions, *Religious Studies,* v. 19, n. 3, set. 1983.

SURIN, Kenneth. Towards a "Materialist" Critique of "Religious Pluralism": A Polemical Examination of the Discourse of John Hick and Wilfred Cantwell Smith, *The Thomist,* v. 53, n. 4, out. 1989.

TWISS, Sumner B. The Philosophy of Religious Pluralism: A Critical Appraisal of Hick and his Critics, *The Journal of Religion,* v. 70, n. 4, out. 1990.

VERKAMP, B. J. Hick's Interpretation of Religious Pluralism, *International Journal for Philosophy of Religion,* v. 30, n. 2, out. 1991.

VROOM, Hendrik. Do All Religions Worship the Same God?, *Religious Studies,* v. *26,* n. 1, mar. 1990.

WARD, Keith, Truth and the Diversity of Religions, *Religious Studies,* v. 26, n. 1, mar. 1990.

WARNER, M. The Uniqueness of Christ, *Modern Churchman,* v. 18, jan.-mar. 1974.

WELLS, Harry L. Taking Pluralism Seriously: the Role of Metaphorical Theology Within Interreligious Dialogue, *Journal of Ecumenical Studies,* v. 30, n. 1, 1993.

Teses de Doutorado

CARRUTHERS, Gregory, SJ. The Uniqueness of Jesus Christ in the Theocentric Model of the Christian Theology of World Religions: An Elaboration and Evaluation of the Position of John Hick, Pontifícia Universidade Gregoriana, Roma, 1988.

D'COSTA, Gavin. John Hick's Theology of Religions, University of Cambridge, 1986.

GILLIS, Chester. A Question of Final Belief: A Critical Study of the Soteriology of John Hick, University of Chicago, 1986.

JASON, Noel K. A Critical Examination of the Christology of John Hick, University of Sheffield, 1978.

LOUGHLIN, Gerard. Mirroring God's World: A Critique of John Hick's Speculative Theology, University of Cambridge, 1986.

ROSE, Kenneth. Knowing the Real: John Hick on the Cognitivity of Religions and Religious Pluralism, Harvard University, 1992.

STINNETT, Timothy Ray. The Challenge of Pluralism: A Study in the Thought of John Hick, Southern Methodist University, 1987.

Dissertações de Mestrado

GERTH, Andre Albert. Theologie im Angesicht der Religionen: Eine Diskussion der Kritik Gavin D'Costas an der pluralistichen Religionstheologie John Hicks, [Lizentiatsarbeit] Faculdade de Teologia Católica, Univerdade de Munique, 1994.

HENSHAL, S. E. Christian Theology in the Face of Religious Pluralism, University of Birmingham, 1989.

MASE, Emi. An Examination of John Hick's Philosophy of Religious Pluralism. University of Bristol, 1994.

TOMM, Winnie. A Christian Approach to the World Religions: A Critical Study of Aspects of John Hick's Theology, University of Birmingham, 1980.

Bibliografia complementar

AEBISCHER-CRETTOL, Monique. *Vers un oecumenisme interreligieux*. Paris: Cerf, 2001.

ANSARI, Kwaja Abdullah. *The Book of Wisdom*, trad. Wheeler Thackston, New York: Paulist Press, 1978.

ARABÎ, Ibn, *The Bezels of Wisdom*. New York: Paulist Press, 1980.

__________*Le livre de chatons des sagesses*. Tome Premier. Beirute: Al-Bouraq, 1997.

ARMSTRONG, Karen, *A History of God*, London: Heinemann (Mandarin), 1993.

BALLOU, Robert (ed.). *The Pocket World Bible*, London: Routledge & Kegan Paul, 1948

BARBOUR, Ian. *Religion in an Age of Science*, v. 1, London: SCM Press, New York: Harper & Row 1990.

BARNES, Michael. *Religions in Conversation*, London: SPCK, 1989.

BARY, William de (ed.). *The Buddhist Tradition*, New York: Vintage Books, 1972.

BERNHARDT, Reinhold. *Christianity Without Absolutes*, London: SCM Press, 1994.

Bhagavadgita, trad. Kees Bolle, Berkeley: University of California, 1979

BUBER, Martin. *Tales of the Hasidim*, v. 1, New York: Pantheon, 1947.

CALVINO, João. *Commentary on the Catholic Epistles*, trad. John Owen, Edinburgh: Calvin Society, 1856.

CHING, Julia & Küng, Hans. *Christianity and Chinese Religions*, New York/London: Doubleday/SCM Press, 1989.

CHITTICK, William C. *Mundos imaginales:* Ibn al-Arabî y la diversidad de las creencias. Sevilla: Alquitara, 2003.

COBB, John. *Beyond Dialogue*, Philadelphia: Fortress Press, 1982.

Comissão Teológica Internacional. *O cristianismo e as religiões*. São Paulo: Loyola, 1997.

Congregação para a Doutrina da Fé. *Declaração Dominus Iesus*. São Paulo: Paulinas, 2000

COPLESTONE, F. C. *Aquinas*, Harmondsworth: Penguin Books, 1955.

COX, Harvey & Sharma, Arvind (ed.). *Our Religions*, New York: HarperCollins, 1993.

CRAIG, William Lane. "No Other Name": a Middle Knowledge Perspective on the Exclusivity of Salvation through Christ, *Faith and Philosophy*, v. 6, n. 2, abr. 1989.

CUSA, Nicolau de. *De Pacis Fidei* in *Nicolas of Cusa on Interreligious Harmony*, trad. James E. Biechler, Lawrence Bond, Lewiston, N. Y.: The Edwin Mellen Press, 1990.

D'COSTA, Gavin & Hamnett, Ian (ed.) *Religious Pluralism and Unbelief*, London/New York: Routledge, 1990.

D'COSTA, Gavin. "Creating Confusion: A Response to Markham," *New Blackfriars*, Janeiro 1993.

______________. Gavin. *Theology and Religious Pluralism*, Oxford/New York: Blackwell, 1986.

_________________. Whose Objectivity? Which Neutrality? The Doomed Quest for a Neutral Vantage Point from which to Judge Religions, *Religious Studies*, v. 29, n. 1, mar. 1993.

DALAI LAMA, *A Human Approach to World Peace*, Boston: Wisdom Publications, 1984.

DALY, Mary. *Beyond God the Father*, Boston: Beacon Press, 1973; London: The Women's Press, 1986.

DENZINGER, Heinrich. *Enchirdion Symbolorum*, n. 468, New York: Crossroad, 1998.

Dhammapada, trad. Narada Mahathera, Colombo: Vajirama, 1972

DUNN, James D. G. *Christology in the Making*: An Inquiry into the Origins of the Doctrine of the Incarnation, London/Philadelphia: SCM Press/Westminster Press, 1980.

ELIADE, Mircea (ed.). *Encyclopedia of Religion*, v. 7, New York/London: Macmillan/Collier Macmillan, 1987.

FARMER, H. H. *The Servant of the Word*, London: Nisbet, 1941.

FOLSE, Henry. *The Philosophy of Niels Bohr*: The Framework of Complementarity, New York: North Holland, 1985.

FRANCK, Frederick (ed.) *The Buddha Eye*, New York: Crossroad, 1982.

FRANCK, Frederick (ed.). *The Buddha Eye*, New York: Crossroad, 1982.

FREDRICKSEN, Paula. *From Jesus to Christ*, New Haven: Yale University Press, 1988.

GANDHI, Mahatma K. *What Jesus Means to Me*, (ed. R. K. Prabhu), Ahmedabad: Navajivan Publishing House, 1959.

GEFFRÉ, Claude. *Crer e interpretar*. A virada hermenêutica da teologia. Petrópolis: Vozes, 2004.

GILLIS, Chester. *A Question of Final Belief*: John Hick's Pluralistic Theory of Salvation, London/New York: Macmillan/St. Martin's Press, 1989.

GREENBERG, Irving. *The Jewish Way*, New York/London: Summit Books, 1998.

GRENSTED, L. W. *A Short History of the Doctrine of the Atonement*, Manchester University Press, 1962.

GRIFFITHS, Bede (ed.). *Universal Wisdom*: A Journey Through the Sacred Scriptures of the World, London: HarperCollins, San Francisco: HarperSanFrancisco, 1994.

HAMNETT, Ian (ed.). *Religious Pluralism and Unbelief*, London, New York: Routledge, 1990.

HERTZBERG, Arthur. *Judaism*, New York: Simon & Schuster, 1991.

HICK, John. Straightening the Record: Some Responses to Critics, *Modern Theology*, v. 6, n. 2, jan. 1990.

KANT, Immanuel. *Religion Within the Limits of Reason Alone*, trad. Theodore Green e Hoyt Hudson, New York: Harper & Row, 1960.

KEEN, Sam. *Hymns to an Unknown God*, New York/London: Bantam Books, 1994.

KELLENBERGER, J. (ed.). *Inter-Religious Models and Criteria*, London/New York: Macmillan/St. Martin's Press, 1993.

KELLENBERGER, James (ed.). *Inter-Religious Models and Criteria*, London/ New York: Macmillan/St. Martin's Press, 1993.

KNITTER, Paul. *The Myth of Christian Uniqueness*, Maryknoll, N. Y.: Orbis, London: SCM Press, 1987.

KNITTER, Paul. *Una terra molte religioni*. Assisi: Citttadella Editrice, 1998.

KÜNG, Hans. *Great Christian Thinkers*, London/ New York: SCM Press/Continuum, 1994.

MAIMÔNIDES, Moisés. *Guide for the Perplexed*, trad. M. Friedlander, 2. ed., London: Routledge & Kegan Paul, 1904.

MAINI, Darshan Singh (ed.) *Sikhism*, Patiala: Punjabi University Press, 1969.

MAINI, Darshan Singh (ed.), *Sikhism*, Patiala: Punjabi University Press, 1969.

MOHANTY, S. H. Us and Them: On the Philosophical Bases of Political Criticism, *The Yale Journal of Criticism*, v. 2, 1989.

MONTEFIORE, Hugh (ed.). *The Gospel and Contemporary Culture*, London: Mowbray 1992.

Mundaka Upanishad, I. 3, trad. Radhakrishnan, *The Principal Upanishads*, London/New York: Allen & Unwin/Humanities Press, 1969.

NANAK. Guru. *Japji*, trad. Harbans Singh, Bombay, London, New York: Asia Publishing Co., 1969.

NETLAND, Harold. *Dissonant Voices:* Religious Pluralism and the Question of Truth, Grand Rapids, Mich.: Eerdmans/Leicester: Apollos, 1991.

NEWBIGIN, Lesslie. *The Gospel in a Pluralist Society*, Grand Rapids, Mich./Geneva: Eerdmans/WCC Publications, 1989.

NICHOLSON, R. A. (ed.). *Eastern Poetry and Prose*, Cambridge: Cambridge University Press, 1992.

NIEBUHR, Reinhold. *Moral Man and Immoral Society*, New York: Charles Scribner's Sons, 1941; Edinburgh: T. & T. Clark, 1980.

NINEHAM, Dennis. *Christianity Medieval and Modern*, London: SCM Press, 1993.

NISHIDA, Kitaro. *An Inquiry into the Good*, trad. Masao Abe, Christopher Ives, New Haven, London: Yale University Press, 1990.

NOVAK, Philip (ed.) *The World's Wisdom*: Sacred Texts of the World's Religions, San Francisco: Harper, 1994.

OCKHAM, Dennis & PHILLIPS, Timothy (eds.). *More Than One Way?*, Grand Rapids, Mich.: Zondervan, 1995.

OGDEN, Schubert, *Is There Only One True Religion or Are There Many?*, Dallas: Southern Methodist University Press, 1992.

OH, Kang-nam. Sagehood and Metanoia, *Journal of the American Academy of Religion*, v. 61, n. 2, 1994.

PARRISIKAR, V. L. (ed.). *Srimad - Valmiki - Maharsi - Pannitah Yogava'sistha*, I, 2. ed., Bombaim: Tukaram Javaji, 1978.

PENN, William, *Some Fruits of Solitude* (1718), London: Constable, 1926.

PERCY, J.O. (ed.). *Facing the Unfinished Task*, Grand Rapids, Mich.: Eerdmans, 1961.

PHILLIPS, D. Z. *Death and Immortality*, Londres: Macmillan 1970.

Popper, Karl. *The Logic of Scientific Discovery*, 1935, New York: Basic Books, 1959.

PORTER, A. N. "Religion and Empire: British Expansion in the Long nineteenth Century, 1780-1914", Inaugural Lecture, King's College, London, 1991.

Proceedings of the Wheaton Theology Conference: The Challenge of Religious Pluralism: An Evangelical Analysis and Response (Wheaton, IL: Wheaton Theology Conference, 1992.

Qur'an, trad. Arthur J. Arberry, *The Koran Interpreted*, London, New York: Oxford University Press, 1964.

RACE, Alan. *Christians and Religious Pluralism*, London: SCM Press and Maryknoll, New York, 1983, 2nd ed. 1994.

RADHAKRISHNAN, S. *The Principal Upanishads*, London: Allen & Unwin/New York: Humanities Press, 1969.

RATZINGER, Joseph. Situação atual da fé e da teologia. *Atualização*, n. 263, set/out 1996.

ROBERTS, Elizabeth & Amidon, Elias (eds.). *Earth Prayers*, San Francisco: Harper, 1991.

RUMI, Jalal ud-Din. *Poet and Mystic*, trad. R. A. Nicholson, London/Boston: Unwin's Mandala Books, 1978.

RUNZO, Joseph. God, Commitment, and Other Faiths: Pluralism Vs Relativism, *Faith and Philosophy*, v. 5, n. 4, out. 1988.

RUSSELL, Bertrand. *Why I am not a Christian*, London: Allen & Unwin, 1957.

SANDERS, E.P. *Jesus and Judaism*, London: SCM Press and Philadelphia: Fortress Press, 1985.

SCHAFF, Philip & Wace, Henry (eds). *Nicene and Post-Nicene Fathers*, Series 2, v. V, Grand Rapids, Mich.: Eerdmans, 1956.

SCHAFF, Philip (ed.) *The Nicene and Post-Nicene Fathers*, First Series, Mich.: Eerdmans, 1956.

SHANKARA, *Crest-Jewel of Discrimination*, trad. Swami Prabhavananda, Cristopher Isherwood, Los Angeles: Vedanta Press, 1978.

SINGH, Kushdeva. *In Dedication*, Patiala: Guru Nanak Mission, 1974.

SMART, Ninian & HECHT, Richard (eds.). *Sacred Texts of the World*: A Universal Anthology, London: Macmillan, 1992

SMITH, Steven G. Bowl climbing: The logic of religious question rivalry, *International Journal for Philosophy of Religion*, v. 36, n. 1, ago. 1994.

SMITH, Wilfred Cantwell. *The Meaning and End of Religion*, 1962; London/Minneapolis: SPCK/Fortress Press, 1991.

Songs of Kabir, trad. por Rabindranath Tagore, New York: Samuel Weiser, 1977.

SPRINGSTED, Eric O. Conditions of Dialogue: John Hick and Simone Weil, *Journal of Religion*, v. 72, n. 1, jan. 1992.

STINNETT, Timothy R. John Hick's Pluralistic Theory of Religion, *The Journal of Religion*, v. 7, n. 4, out. 1990.

SWIDLER, Leonard (ed.). *Towards a Universal Theology of Religion*, Maryknoll, N. Y.: Orbis, 1987.

SWIDLER, Leonard (ed.). *Towards a Universal Theology of Religion*, Maryknoll, N. Y.: Orbis, 1987.

SWINBURNE, Richard, *Responsibility and Atonement*, Oxford: Clarendon Press, 1992.

Tao Te Ching, trad. Ch'u Ta-Kao, London/Boston: Mandala Books, 1982.

The Dhammapada. trad. Narada Marathera, Colombo: Vajrarama, 1972.

The Tao Te Ching, trad. Stephen Mitchell, San Francisco: Harper & Row, 1988.

Theologia Germanica, trad. Susanna Winkworth, London: Macmillan, 1937.

THOMAS, Owen. Religious Plurality and Contemporary Philosophy: A Critical Survey, *Harvard Theological Review*, v. 82, n. 2, 1994.

TILLICH, Paul. *Systematic Theology*, v. 1, Chicago: University of Chicago Press, 1951; London: SCM Press, 1978.

TRIGG, Roger. "Religion and the Threat of Relativism", *Religious Studies*, v. 19, n. 3, set. 1983.

WARD, Keith. *Religion and Revelation*, Oxford: Clarendon Press, 1994.

WHITE, A. D. *A History of the Warfare of Science with Theology in Christendom* (1896), 2 v., New York: Dover Publications, 1960.

WHITEHEAD, Alfred N. *Science and the Modern World,* Cambridge: Cambridge University Press, 1926.

WHITNEY, Barry L. *Theodicy*: An Annotated Bibliography on the Problem of Evil, 1960-1990, New York, London: Garland Publishing, 1993.

WILSON, Andrew (ed.). *World Scripture*: A Comparative Anthology of Sacred Texts, New York: Paragon House, 1991.

WITTGENSTEIN, Ludwig. *Tractatus Logico-Philosophicus*, London: Routledge, 2001.

YANDELL, Keith. Some Varieties of Religious Pluralism, in: J. Kellenberger, (ed.), *Inter-Religious Models and Criteria*, London/New York: Macmillan/St. Martin's Press, 1993.

Índice Remissivo*

A

Abe, Masao 42, 187
Abraão 84, 121
Adorno, T. W. 57
Agostinho, Santo 46, 118, 141, 144, 169
Akbar, Imperador 63
Al-Junaid 62
Alcorão 49, 51, 62, 84, 85, 121, 141, 151, 157, 159
Almond, Philip 78
Alston, William 139
Ansari, Kwaji Abdullah 188
Anselmo, Santo 89, 97, 169
Anti-semitismo 18, 38, 134
Apczynski, John 58
Aquino, Tomás de 54, 55, 87, 99, 121
Arberry, Arthur 186
Armstrong, Karen 63
Ashoka, Imperador 61, 63
Askari, Hasan 101
Auburn Seminary 12, 25, 34, 190, 193

B

Ballou, Robert 189
Barbour, Ian 51
Barker, Eileen 148
Barnes, Michael 78
Barry, William de 192
Bernhardt, Reinhold 134, 135
Bíblia 72, 124, 131, 157, 171, 180
  Novo Testamento 19, 30, 124, 126, 128, 130, 131, 132, 149, 165, 171
    Evangelho de João 124, 134, 171
    Evangelho de Lucas 110, 127, 128, 131, 171
    Evangelho de Marcos 124, 126, 131, 132, 169, 171
    Evangelho de Mateus 128, 131, 171
Bohr, Niels 51
Bolle, Kees 182

* Nota: este índice não inclui termos tais como cristianismo, islã, judaísmo, hinduísmo, budismo, que aparecem com grande freqüência, nem os nomes de autores que constam no Apêndice II, a não ser quando estes são citados no texto principal.

Bonifácio VIII, Papa 115
Borowitz, Eugene 190
Braithwaite, R. B. 138
Buber, Martin 188
Buddha, Os ditos de 183
Byrne, Peter 78

C

Calcedônia, Concílio de 27, 122, 129, 136
Calvino, João 46
Câmara, Dom Hélder 112
Ching, Julia 145
Cobb, John B. 101
Confúcio 47, 145
  Confucionismo 36, 60, 109, 142, 145, 150, 157
Conselho Mundial de Igrejas 150, 179
Constantino 134
Controvérsia, Ética da 198
Cook, Robert 65, 100
Copérnico 83
Coplestone, F. C. 87
Cox, Harvey 112
Craig, William Lane 116, 117
Cupitt, Don 138

D

D'Costa, Gavin 43, 64, 65, 73, 78, 96, 104, 117, 119, 123, 140, 149
Dalai Lama 60, 61
Daly, Mary 135
Darwin, Charles 83, 171
Derrida, Jacques 57
Dewey, John 138
DiNoia, J. A. 45, 143
Dunn, James 128, 131

E

Eddy, Mary Baker 122
Eddy, Paul 74, 88, 89

F

Farmer, H. H. 150
Fenner, Peter 143
Feuerbach, Ludwig 138
Filho de Deus 19, 127, 167
Flanagan, Kieran 59
Florença, Concílio de 46, 115, 118
Folse, Henry 51
Forrester, Duncan 113, 159
Foucault, Michel 57
Franck, Frederick 42, 87

G

Galileu 83
Gandhi, Mahatma 60, 61, 112, 122
Gebara, Ivone 190
Gillis, Chester 140
Greenberg, Irving 145
Grensted, L. W. 169
Griffiths, Bede 189
Gunton, Colin 58

H

Habermas, Jürgen 57
Hamnett, Ian 59, 64, 117, 148
Harbans Singh 183
Hebblethwaite, Brian 75, 96, 138
Hecht, Richard 87, 189
Heim, Mark 104, 193
Holocausto 37, 134
Humanismo 35, 37
Huxley, Thomas 83

I

Iluminismo europeu 58, 59, 60
Isherwood, Christopher 187

J

Jainismo 36, 60, 121, 141
Jesus
  divindade de 19, 20, 32, 131, 133, 134
  morte de 85, 165, 170, 171, 173, 177
  ressurreição de 47
Jonestown 111
Justino Mártir 118

K

Kabir 62, 182
Kang-nam Oh 146
Kant, Immanuel 55, 58, 74, 75
Keen, Saro 108
Kellenberger, James 89, 101
King, Martin Luther 112, 154
Krishna 49, 61, 144, 147
Küng, Hans 87, 145
Kushdeva Singh 185

L

Lao Tsé 47, 121
Lefebvre, Bispo 44
Lipner, Julius 31, 123, 159
Lyell, Charles 83

M

Maimônides 101, 102
Mandela, Nelson 112
Markham, Ian 43
Marxismo 35, 37
McGrath, Alister 69, 72, 124
Metáfora 19, 69, 95, 125, 128, 137, 138, 142, 169
Milagres 83, 168
Milbank, John 64, 78, 143
Missão 12
Mística 16
Mito 22, 64, 77, 80, 108, 137, 138
Mohanty, S. H. 64
Moisés 47, 102, 121, 186
Montefiore, Hugh 58
Moon, Sun Myung 122
Mott, John R. 154
Muhammad 47, 119, 121, 142, 151, 156, 159

N

Nanak, Guru 47, 61, 87, 121, 183, 185
Narada Mahathera 183
Netland, Harold 70, 94
Newbigin, Lesslie 60, 78
Nicéia, Concílio de 19, 32, 129
Nicholson, R. A. 63, 186
Nicolau de Cusa 63, 207
Niebuhr, Reinhold 111
Nineham, Dennis 166, 167
Nishida, Kitaro 187
Nissa, Gregório de 87
Novak, Philip 189
Novas religiões 145, 147

O

Ockholm, Dennis 124
Ogden, Schubert 43
Orígenes 169

P

Panikkar, Raimundo 101
Pannenberg, Wolfhart 149
Papa João Paulo II 27, 44
Patriarcalismo 135
Paulo, São 40, 156
Penn, William 63, 64
Phillips, D. Z. 102
Phillips, Timothy 69, 124
Phillips, W. Gary 116
Politeísmo 101
Popper, Karl 105
Porter, A. N. 154
Pós-modernismo 12, 17, 57, 64, 65, 66, 67, 175
Prabhavananda, Swami 187

R

Race, Alan 43
Radhakrishnan, S. 42, 61, 86
Rahner, Karl 45
Ramakrishna 47, 122
Ramanuja 103
Romero, Bispo 112
Rouner, Leroy 136
Rumi, Jalal ud-Din 63, 186
Rumi, Jalal ul-din 63, 186
Runzo, Joseph 79
Russell, Bertrand 49

S

Salvação/libertação 15, 42, 44, 46, 53, 69, 72, 98, 103, 108, 111, 142, 191
Sanders, E. P. 130
Santayana, George 138
Satanismo 72, 111, 147
Shankara 103, 187
Sharma, Arvind 75, 96, 112, 138
Shinran 122
Shiva 49, 50, 98, 101, 107, 144
Siquismo, sique 61, 185
Smart, Ninian 87, 89, 108, 189
Smith, Joseph 122
Smith, Steven G. 68
Smith, Wilfred Cantwell 64, 118
Springsted, Eric 77, 95
Stinnett, Timothy 110
Sufis 16, 63, 188
Sunyata 49, 74, 87, 90, 95, 100, 161
Surin, Kenneth 64, 65, 67
Suzuki, D. T. 87
Swidler, Leonard 101
Swift, Jonathan 96
Swinburne, Richard 45

T

Tagore, Rabindranath 62, 182, 188
Taoísmo 36, 49, 60, 94, 109, 121, 141, 142, 145, 157
Tao Te Ching 87, 146, 157, 185, 187
Tenrikyo 147, 148
Teologia da libertação 59, 112, 176
Teologia feminista 59, 176
Thomas, M. M. 72
Thomas, Owen 79
Tillich, Paul 81, 97
Trigg, Roger 31
Trilochan Singh 183
Trindade, Santa 19, 39, 50, 54, 74, 75, 95, 97, 101, 107, 124, 125, 127, 143
Tutu, Desmond 112
Twiss, Sumner B. 70

U

Union Theological Seminary 12, 26, 190
Upanixades 86, 157
Ustorf, Werner 193

V

Vaticano II 44, 116
Vedas 61, 151
Verificação escatológica 103, 105
Verkamp, Bernard 90

W

Waco 72, 111
Ward, Keith 76, 79, 88, 89, 93, 94, 100
White, A. D. 171
Whitehead, A. N. 82
Whitney, Barry 192
Wilson, Andrew 189
Wink, Walter Philip 190
Wittgenstein, Ludwig 49, 50, 152, 153
Woo, Franklin 193

Impresso em papel Chamois Bulk 90 gr., capa em Supremo 250 gr., em Minion Pro 11/15 pela Gráfica Palas Athena em agosto de 2005, com filmes fornecidos pelo editor.